INCESTO:
AYUDA
PARA LAS VÍCTIMAS

Este libro está dedicado a mi querido esposo Don, cuya paciencia, apoyo y amor me han sostenido durante el proceso de curación detallado en este libro. Gracias a su ánimo, sacrificio y compromiso al propósito del Señor en nuestras vidas, este libro se ha acabado.

Y también está dedicado a nuestras hijas, Heather y Kellie. El Señor las usa continuamente para enseñarme sobre Su amoroso corazón paterno.

JAN FRANK

INCESTO: AYUDA PARA LAS VÍCTIMAS

Editorial CLIE
Galvani, 113
08224 TERRASSA (Barcelona)

INCESTO - Ayuda para las víctimas

Depósito Legal: B. 20.926-1993
ISBN 84-7645-681-6

Impreso en los Talleres Gráficos de la M.C.E. Horeb,
E.R. nº 265 S.G. –Polígono Industrial Can Trias,
c/Ramón Llull, s/n– 08232 VILADECAVALLS (Barcelona)

Printed in Spain

Clasifíquese: 09 SOCIEDAD Y CRISTIANISMO
C.T.C. 02-09-0710-01
Referencia: 22.36.90

Reconocimientos

Gracias especiales a la gran cantidad de víctimas anónimas cuyas vidas están representadas en este libro.

Gracias también a:

Lauren Briggs, que pasó innumerables horas en su ordenador descifrando mi letra y traduciéndola en un manuscrito legible.

Darlene Grierson, mi cuñada. Su ánimo me dio confianza y su conocimiento de gramática y puntuación añadió claridad al manuscrito.

Jean Bryant y **Doris Fell**. Su experiencia en editar aclaró el mensaje que tantos necesitan oír.

Pam Houston y la **Dra. Laurel Basbas**. Su apoyo en oración y su fidelidad a la llamada de Dios en sus vidas continúan animándome y ministrándome curación.

Florence y **Fred Littauer**. Su apoyo y ánimo continuo proporcionó el ímpetu para escribir este libro.

CONTENIDO

Prólogo

Durante su juventud, Jan Frank era una invitada frecuente porque era la mejor amiga de mi hija Lauren. Sabíamos que tenía problemas en casa, pero en nuestra inocencia, nunca pensamos en el incesto. Pensamos que esto nunca ocurría a personas que conocías, especialmente a buenos cristianos. Jan se convirtió en otra hija para Fred y para mí y la hemos querido mucho.

Cuando Jan vino a CLASS (Seminarios para Líderes y Conferenciantes Cristianos), en la Catedral de Cristal en 1981, compartió con su grupo pequeño, y después conmigo, que había sido víctima de incesto. No podía creer que había estado tan cerca de ella sin darme cuenta de sus síntomas. Desde entonces, Jan ha sido fundamental para empezar grupos de apoyo para víctimas, siendo una terapeuta junto con un psicólogo cristiano. Además ha trabajado para su diploma superior, ha dado conferencias en todo el país y ha aparecido en el *Club 700.* La presenté en mi capítulo *Lives on the mend* (Vidas en recuperación) y recomiendo sus pasos cuando viajo y hablo sobre los síntomas del incesto y los pasos para la recuperación. Una vez enviamos a Jan a una iglesia en el medio oeste para llevar un seminario. El horario previsto era de sólo cuatro horas, pero la demanda para sus servicios fue tan grande que habló durante dieciocho horas en el espacio de tres días.

Después de hablar sobre el incesto en mis seminarios de «Vidas en recuperación», estoy rodeada por mujeres que desesperadamente necesitan ayuda y que no tienen ni idea de dónde buscarla. La comunidad cristiana no ha reconocido que el incesto es el problema escondido más grande en la iglesia hoy en día. Hay tan poca ayuda para esas víctimas necesitadas, que frecuentemente tengo que darles la tarjeta de Jan para que puedan llamarla para encontrar ayuda compasiva y comprensiva.

O bien si eres una víctima como tantas que me han dicho: «Nunca lo he dicho a nadie antes», o bien si eres una persona ingenua como yo que creía que las cosas malas no ocurrían a las buenas chicas, de todas maneras querrás leer este libro. Abrirá tus ojos al problema y a la solución. Te ofrecerá una «puerta de esperanza».

FLORENCE LITTAUER

Capítulo 1

CURAR LOS TRAUMAS EMOCIONALES

«Cuando fallan las palabras, fluyen las lágrimas»
–CHUCK SWINDOLL.

Una tarde fría y seca de primavera, yo estaba en un retiro para mujeres compartiendo mis pasos de recuperación para curar las heridas emocionales cuando me di cuenta de que Joana estaba sollozando en silencio en la última fila de la rústica sala. Joana, una mujer menudita y vivaracha de unos treinta años de edad, se relacionaba bien con las otras mujeres. Parecía que no tenía problemas. Sin embargo, ahora estaba llorando en los brazos de una amiga.

Algunos minutos después de hablar, pude llegar hasta Joana. Alargué y puse mis brazos alrededor de ella, mientras dijo estas palabras de manera entrecortada: «Nunca me he permitido llorar desde que perdí a mi hijo pequeño hace seis años. Tenía sólo diez meses cuando murió. Después de todos estos años, todavía estoy enfadada con Dios.»

Joana me miró a los ojos fijamente y dijo: «Jan, mientras hablabas esta tarde, me di cuenta de que nunca me he enfrentado completamente con la muerte de Timoteo. Nunca me he permitido afligirme completamente. Todo el mundo me decía que debería contar mis bendiciones, ya que tenía dos hijos sanos. Dos meses después de la muerte de Timoteo, mis amigos me dijeron que ya era hora de *animarme* y seguir con la vida.»

Como muchas de nosotras, Joana decidió ponerse una máscara para cubrir la intensidad de su dolor.

Cuando Elisabet, la increíblemente bella esposa de un pastor, se me acercó para consejería en un almuerzo para mujeres, me pregunté lo que podía ocurrirle. Mientras nos sentábamos en un escalón al lado de la plataforma, contó su historia. Había sido víctima de abuso sexual cuando era niña y había tenido un aborto siendo adolescente. Hacía poco se había enterado de que su marido tenía una aventura con una de sus amigas. Los ojos de Elisabet se empañaron mientras preguntaba: «¿Qué debo hacer? Estoy muy herida. Mi marido ha admitido su aventura. Me ha dicho que tenemos que olvidarla y seguir adelante a causa de su ministerio.» Elisabet tembló un poco y entonces añadió: «Se ha negado a contestar mis preguntas porque dice que el perdón quiere decir no tener interés en los detalles. Me siento como si no tuviera a nadie con quien hablar y no puedo superar algunos de los sentimientos que tengo. Jan, lo que has dicho hoy tiene sentido. Sé que tengo que ir por el proceso de curación si quiero ser libre.»

Como muchas de nosotras, Elisabet había asumido que el perdón significa cubrir el dolor y disimular su existencia.

La semana pasada mi teléfono sonó mientras preparaba la cena. «¿Jan?» Pude notar el dolor de la voz en la línea. «Soy Carola. Me voy a matar si no consigo algunas respuestas.»

Dentro de mí elevé una oración rápida buscando guía y pregunté: «Carola, ¿qué ha pasado?»

«Ya no sé lo que debo pensar», contestó. «Fui a mi pastor hoy para consejería. Su primera pregunta fue: "¿Por qué no has estado en la iglesia?" Le expliqué que tengo dificultades en mi relación con Dios a causa de mi pasado, pero que actualmente estoy bajo terapia, intentando solucionar las cosas. Me cortó, diciendo: "No necesitas terapia. Simplemente has de empezar a ser obediente y poner tu vida con Dios en orden."»

Mientras escuchaba a Carola, su voz empezó a mostrar más desesperación. «Jan, cuando intenté explicar a mi pastor que el abuso sexual que sufrí de pequeña había perjudicado mi vida y mi matrimonio, me corrigió inmediatamente. Dijo que el problema era mi rebeldía y que simplemente tenía que ser sumisa a mi ex marido abusivo y dejar de ir a terapia para las respuestas que solamente Dios podía dar.»

Carola hizo una pausa, entonces saltó: «Jan, estaba tan alterada después de la reunión que llamé a una amiga de la iglesia que había sido de plena confianza en el pasado. Cuando le dije lo que el pastor había dicho, le apoyó completamente. Añadió: "Si no pones tu vida en orden, Carola, Dios me ha dicho que va a quitarte tu hija y tu casa y que vivirás sola el resto de tu vida." Acabó diciendo: "Dios es tu única esperanza, así que, más vale que pongas tu vida en orden."»

Sollozando, continuó: «Jan, si esto es lo que Dios *realmente* es, entonces es mejor que me mate.»

Como muchas de nosotras, la idea que tenía Carola de Dios se había torcido a causa de sus experiencias en la vida.

Mis propios padres se divorciaron cuando tenía cinco años. Cuando tenía ocho años, mi madre se casó otra vez. Mi padrastro era un cristiano que siempre asistía a la iglesia. A la edad de diez años, subí a la plataforma en un culto de la tarde y recibí a Cristo como mi Salvador personal. Tres semanas más tarde, mi padrastro abusó de mí sexualmente.

¡Incesto! La palabra es fea. El acto es devastador.

Pasaron los años. Me casé con un cristiano maravilloso y después de dos años de matrimonio, nació nuestra primera hija. En los días siguientes, mientras más intentaba cuidar a nuestra bebé vulnerable y llorona, más desesperada y fuera de control me ponía. Aquel desasosiego disparó el recuerdo de la desesperación que sentí de pequeña a los diez años. Mi pasado empezó a perseguirme. Empezaron a ser frecuentes las jaquecas y pesadillas. Luché contra intensa y explosiva ira. Estaba deprimida, criticaba a mi marido y sentía que no merecía el amor de Dios. Había orado durante años que Dios me ayudara a perdonar a mi padrastro para que pudiera seguir con mi vida. Pensaba que era todo lo que había que hacer. Pero estaba equivocada.

El Espíritu Santo me enseñó que tenía que pasar por un proceso de curación. El resto de este libro detalla este proceso en diez pasos.

En este libro he intentado mantener un equilibrio entre experiencias reales, principios bíblicos y literatura objetiva actual. He mantenido el enfoque en la víctima de incesto, no solamente a causa de mi propia experiencia, sino porque estoy convencida después de aconsejar a miles de personas que el abuso sexual en la infancia está muy extendido. «Las estadísticas indican que 34 millones de mujeres en los Estados Unidos han sido víctimas de abuso sexual en la infancia. Se estima que alguien abusa sexualmente de una niña cada dos minutos.»[1] Una encuesta reciente de *Los Angeles Times* muestra que casi una de cada cuatro personas en los Estados Unidos ha sufrido abuso sexual en su infancia, y que por cada víctima conocida, nueve están ocultas.[2]

Mientras he explicado mi plan de recuperación de diez pasos en todo el país, he encontrado que es aplicable a cualquier herida emocional que pudiéramos haber sufrido. No es un plan simplista que se pueda llevar a cabo en unas pocas semanas. Ni tampoco es una fórmula mágica que se pueda acometer instantánea e impulsivamente. Aquellas que utilizan estos pasos deben comprometerse a la oración y a permitir que el Espíritu Santo provea dirección y sabiduría. Esos pasos dan dirección y nos llevan a la posición de ser curadas, pero *el Espíritu Santo completa el trabajo*. Las Escrituras dicen que la obra del Espíritu Santo en nuestras vidas es guiarnos a toda verdad. El Salmo 51:6 dice: «Pero tú amas la verdad en lo íntimo, y en lo secreto me has hecho comprender sabiduría.»

Creo que la recuperación emocional requiere un período de tiempo. No es que el Señor no tenga la habilidad de curarnos instantáneamente. Sí la tiene. Sin embargo, he encontrado que frecuentemente utiliza cierto tiempo para nuestra instrucción y renovación. Es parecido a nuestra conversión a Cristo. Aunque nos hace instantáneamente nuevas criaturas en Él, estamos en el proceso de ser «modelados conforme a la imagen de su Hijo» (Romanos 8:29) durante nuestras vidas.

Los diez pasos a la recuperación ayudaron a Joana a enfrentarse con la pérdida de su bebé y la liberaron para afligirse. Estos mismos pasos mostraron a Elisabet que tenía que ser honesta en cuanto a sus sentimientos sobre la infidelidad de su marido. Tenía que trabajar a fondo su dolor para ser libre. Los pasos han animado a Carola a seguir viviendo. Hoy su relación con Dios está libre de cicatrices y distorsiones.

Yo, también, soy libre hoy. Ya no soy cautiva del dolor de mi pasado. El Señor ha tomado la desolación de mi vida e hizo que diera fruto. Él es el *único* que puede hacer eso.

Muchas de vosotras podéis estar preguntándoos: «¿Por qué es necesario mirar nuestro pasado? ¿No debemos simplemente olvidar aquellas cosas y seguir con la vida?»

Si de verdad pudiéramos olvidar, no habría necesidad de mirar hacia atrás. Pero para muchas de nosotras, el dolor de nuestro pasado sigue invadiendo nuestras vidas diarias. El dolor no resuelto adecuadamente distorsiona nuestra capacidad de vivir en la libertad que Dios tiene para nosotros en Cristo.

He compartido muchas experiencias personales de mi propia curación con la esperanza de que aquellas que todavía están sujetas a su pasado serán animadas a buscar la recuperación. Mi carga por aquéllas en dolor se resume en la bella promesa de Isaías 58:12: «Y los tuyos edificarán las ruinas antiguas; los cimientos de muchas generaciones *levantarás*, y serás llamado *reparador* de portillos, *restaurador* de calzadas para poblados» (énfasis mío).

Este versículo me ayudó a entender las necesidades que tenía y las necesidades de otras en dolor. El versículo identifica metas específicas para usar cuando uno intenta ayudarles. Primero, debemos *levantar* a las heridas. Segundo, tenemos que ayudarles a *reparar* sus vidas rotas y destrozadas. Tercero, les tenemos que *restaurar* al camino sano. Cuando miré aquellas palabras en el hebreo, me fascinó la profundidad de sus significados.

Levantar

La palabra hebrea pronunciada *koom* quiere decir «ayudar a levantar, establecer, reforzar, confirmar o autentificar». ¿Cuántas de nosotras estamos levantando a aquellas que están en dolor? Demasiadas veces los cristianos condenan a otros o los hunden, diciendo: «Un cristiano espiritual no debe sentir ira.» Respondemos a los heridos con ofensa y rechazo cuando lo que necesitan es reforzarse y volver a establecerse en su relación con Dios. Demasiado frecuentemente, fallamos en entender que los dolores de su pasado están estorbando una comunión vital con Dios. ¡Es necesario tratar sus heridas para *levantarlos*!

Reparar

La palabra hebrea para «reparar» se pronuncia *gawder*, y es una palabra descriptiva que quiere decir «andar dentro o alrededor, encerrar, vallar o cercar». Pienso inmediatamente en aquellas que están heridas emocionalmente y que necesitan sentir una valla alrededor suyo y tener refugio o cuidado en un ambiente protegido. Una de las primeras cosas que nos aconsejan hacer para tratar una herida es limpiarla completamente y entonces cubrirla con una gasa para evitar infecciones.

¡Qué ejemplo para las heridas emocionales! Es necesario limpiar las heridas y proveerles un ambiente de protección y apoyo donde puedan empezar a curarse. Los cristianos pueden proveer este tipo de ambiente para aquellos que están en dolor, para los miles que necesitan ser *reparados*.

Restaurar

La palabra hebrea pronunciada *shoob* define el paso final. Significa «rescatar, recuperar, restablecer, traer a casa otra vez u obligar a volver». Muchos que han sido heridos están en necesidad de restauración. Es necesario traerlos a casa otra vez, pero muchas veces sus heridas los mantienen atados, inmovilizados. Restauración quiere decir traerlos a Aquel que es capaz de restaurarlos y curarlos desde dentro. ¡Los heridos han de ser *restaurados*!

Mientras lees el resto de este libro, te animo a considerar tus necesidades cuidadosamente y hacerte disponible al Espíritu Santo para Su obra de restauración. Daniel 2:22 dice: «Él revela lo profundo y lo oculto; conoce lo que está en tinieblas, y con Él mora la luz.» Pídele luz para penetrar en las áreas oscuras de tu dolor. Es solamente a través de este descubrimiento que verdaderamente puedes empezar a afrontar lo que ha ocurrido en tu pasado y puedes seguir con el proceso de curación.

¿Permitirás al Espíritu Santo empezar a descubrir aquellas áreas problemáticas en tu vida? ¿Permitirás que Su luz cure aquellos dolores? ¿Le permitirás liberarte?

Capítulo 2

Paso I.
AFRONTAR EL PROBLEMA

El primer paso para la recuperación es afrontar el problema, la herida infectada que no está curada.

Susana tiene cuarenta y dos años. Está casada y tiene dos hijos adolescentes. Su marido está en la obra cristiana y está dedicado a su familia. Han buscado consejería matrimonial de vez en cuando durante algunos años. Susana comparte que el enfoque de sus problemas parece ser su relación sexual. Su marido se está cansando porque la consejería ha funcionado poco para ayudar a Susana a superar sus problemas.

Carla, que tiene treinta y dos años, ya se ha divorciado tres veces. Carla confiesa que siempre parece atraer a hombres que acaban abusando de ella emocional o físicamente. Ha decidido poner su vida en orden, pero repetidamente se encuentra involucrada en relaciones desdichadas.

Diana, de veintinueve años y soltera, es muy obesa. Está deprimida y ha probado cada régimen en el mercado. Está contemplando la cirugía para coser sus mandíbulas con alambres pero se da cuenta de que realmente no quiere controlar sus hábitos alimenticios.

María, una madre y esposa dedicada, pasa tiempo leyendo su Biblia y orando, pero siente como si Dios no estuviera escuchándole. María ha tenido consejería con su pastor, pero todavía lucha en su vida cristiana.

¿Tienen algo en común esas mujeres? Si ellas te vinieran para consejería, ¿qué les dirías? ¿Te identificas con alguna de sus luchas?

Esas mujeres son personas reales que vinieron a mí con sus problemas. Puedes conocer a otras como ellas. Incluso puedes ser una de ellas. Lo que no sabes es que cada una de esas mujeres es una víctima de incesto. El incesto se define como cualquier contacto sexual entre personas que son, o se perciben como, personas relacionadas. Esas mujeres están manifestando síntomas que persiguen a la mayoría de las víctimas de incesto. Pero, como la mayoría de víctimas, no saben que su problema actual tiene algo que ver con su pasado, que es el resultado de una condición más profunda y más compleja, conocida como el «problema de fondo».

La planta «estrangulada»

Imagina un filodendron verde precioso, una planta de interior que ha de ser trasplantada a una maceta más grande de vez en cuando para evitar que se estrangule con sus propias raíces. Ya que este problema existe debajo de la superficie, la planta «estrangulada» puede estar en este estado durante bastante tiempo antes de que uno se dé cuenta de que algo va mal. Sin embargo, después de un tiempo, las hojas de la planta se vuelven marrones, la tierra se endurece y la planta empieza a oler a podrido.

A la larga, las hojas se caen y la planta que antes era verde y bonita muestra señales de un problema. Muchos aficionados a las plantas, con toda la buena intención del mundo, pueden decirte: «Simplemente has de seguir regando tu filodendron. Dale un poco de sol, cambia su sitio, háblale, ora por él o léele algunos versículos de la Biblia. Volverá a la vida dentro de nada y los síntomas desaparecerán.»

Sin embargo, un jardinero con buenos conocimientos te dirá algo diferente. Te dirá que tiene que estar en una maceta más grande, pero te avisará de que no es suficiente con cambiarla. Otros pasos, como examinar la planta, separar las raíces y darle nueva tierra, son imprescindibles en el proceso de restaurar la planta. Este proceso es una experiencia «dolorosa» para la planta y a menudo puede entrar temporalmente en «aletargamiento». Sin embargo, el resultado final, después de un tiempo de atención y cuidado, será un filodendron verde, sano y próspero que es incluso más precioso que antes. Pero si eliges ignorar la condición anterior de la planta, con el tiempo morirá.

Si eres una víctima de incesto, eres muy parecida a la planta «estrangulada». Puedes seguir durante años sin ningún síntoma visible, pero con el tiempo aparecerán problemas en la superficie. A menudo éstos son visibles como depresión, ira, dificultades en tu matrimonio, jaquecas, ansiedad, trastornos alimenticios o sentimientos de estar alejada de Dios. La tendencia de los cristianos con buenas intenciones es tratar los síntomas superficiales, pero esto es como podar la planta «estrangulada» para hacerla más atractiva por fuera. Esto no es tratar el problema verdadero. Mientras tanto, los síntomas superficiales volverán a aparecer, frecuentemente con mayor seriedad que antes. En su libro *La curación de los recuerdos*, David Seamands escribe: «Cuando no se ha hecho frente a los recuerdos dolorosos y no han sido curados e integrados a la vida, con frecuencia rompen las defensas e interfieren en la vida normal de la persona.»[1]

Si eres una víctima, puede ser necesario desenterrar el pasado y, junto con un terapeuta cualificado u otra persona de confianza, empezar a examinar el pasado, disecarlo, romperlo en trozos, y cuidadosamente trabajar a fondo lo que ha ocurrido. Esto es lo que llamo yo afrontar el problema. De la misma manera que con la planta «estrangulada» es frecuentemente un proceso doloroso. Con el tiempo y con el apoyo e interés de otros, empezarás a mostrar nuevos signos de vida. Estarás libre de la condición «estrangulada» que te ha mantenido cautiva durante años y podrás empezar a experimentar una vida más llena y sana.

Tres tipos de víctimas

Al trabajar con víctimas, he descubierto que se encuentran en tres categorías básicas: reprimidas, suprimidas y oprimidas.

1. La víctima reprimida. Primero, hay la mujer que no es consciente de que algo de naturaleza incestuosa ha ocurrido. Ha bloqueado el recuerdo debido al intenso trauma que experimentó de pequeña. Frecuentemente manifiesta los mismos síntomas que la mujer que no ha bloqueado su recuerdo. A menudo estará deprimida. Incluso puede tener tendencias de suicidio. Muchas veces sufre dolor físico inexplicable. Hay poca esperanza para este tipo de víctima hasta que la terapia le facilita recordar el pasado para empezar a resolver el problema.

Mientras daba una conferencia en una iglesia en el centro de California, conocí a Kay. Kay sufría de severa depresión y achaques físicos que no parecían tener ningún origen conocido. Le dije a Kay que sospechaba que ella había sido víctima de abuso sexual de pequeña. Estaba horrorizada por la idea, pero buscó consejería tras mi sugerencia. A través de intensa terapia, descubrió que de verdad había bloqueado los recuerdos de una serie de actos incestuosos instigados por su padre cuando contaba tan sólo tres años de edad. A través de la terapia y el apoyo de otras víctimas, está saliendo de la crisis y ha progresado mucho en menos de un año.

2. *La víctima suprimida.* El segundo tipo de víctima es consciente de un incidente o incidentes en su vida, pero ha suprimido el recuerdo, creyendo que tiene poca importancia para ella hoy en día. Quizás tiene problemas sexuales en su matrimonio, baja autoestima y una incapacidad para establecer relaciones íntimas. El ambiente de un grupo de apoyo y/o terapia puede ayudarle a solucionar muchas de sus dificultades presentes que tienen su raíz en su pasado.

Conocí a Bárbara, una de estas víctimas, en un estudio bíblico que yo estaba enseñando. Bárbara manifestaba todos los síntomas comunes de las víctimas. Un día, después de la clase, compartí brevemente mi propio trasfondo, entonces cuidadosamente le pregunté a ella si alguna vez había tenido una experiencia similar. Admitió un acto incestuoso con su hermano, pero contestó que casi lo había olvidado. «De todas maneras, tenía poca importancia», dijo. Me costó más de un año convencer a Bárbara de que los incidentes del pasado estaban jugando un papel significativo en sus relaciones actuales, especialmente con su marido. Ahora Bárbara está en nuestro grupo de apoyo y se está dando cuenta de que no está sola.

3. *La víctima oprimida.* La tercera categoría es una víctima que se acuerda del pasado e identifica el trauma, pero que piensa que lo ha resuelto. Yo era de este tipo de víctima. Siempre había sido consciente del incesto y sabía que me había dañado profundamente. Ya que era consciente de ello y había pedido al Señor ayuda para perdonar a mi padrastro, pensaba que todo estaba resuelto pero que sólo faltaba la victoria en mi vida espiritual. Había opresión en mi espíritu. También yo experimentaba la mayoría de los síntomas comunes de las víctimas pero

no los reconocía. Estaba convencida de que mis altibajos emocionales, espíritu crítico con mi marido e ira hacia mi hija pequeña eran simplemente parte de las tensiones diarias normales que experimenta una mujer. A través de buscar consejos de amigos y escuchar al presentador de un programa de radio cristiano, empecé a darme cuenta de que mi problema era más profundo. Busqué terapia individual con un consejero que era especialista en el área del incesto. Había asuntos que tenía que afrontar y resolver, paso a paso.

Cuando empecé a compartir los pasos detallados que eran necesarios para mí, otras mujeres empezaron a recibir ayuda y sus vidas empezaron a cambiar. La recuperación es posible. A menudo requiere tiempo, pero afrontar el problema es el comienzo.

¿Cómo está tu sistema de raíces?

Para afrontar el problema, has de mirar tu vida honestamente. Eso es lo que las Escrituras llaman «examinarse a sí mismo». La idea no es degradarte ni condenarte, sino evaluarte a ti misma en verdad. Mientras lo hacía, me di cuenta de que no podía seguir disimulando. Había presentado una falsa imagen de confianza, paz y espiritualidad en la presencia de otros, pero dentro estaba insegura, enfadada y alejada de Dios. Si eres una persona cuyo estado interno difiere significativamente del externo, quizás estás tapando algunas heridas.

No importa qué tipo de dolor profundo hayas experimentado, la solución sólo puede venir cuando estás dispuesta a afrontar el problema. Esto incluye afrontar lo que ocurrió y mirar honestamente cualquier síntoma que haya surgido. Hasta que no estemos dispuestas a hacer esto, estamos limitando al Espíritu Santo en su profunda obra de curarnos.

Síntomas de la condición «estrangulada»

La mayoría de las víctimas de abuso sexual experimentan síntomas comunes. Miraremos nueve de ellos en detalle: depresión, ira, temor/ansiedad, culpabilidad/vergüenza, dificultad en establecer relaciones, abuso repetido, corte o control excesivo de emociones, problemas sexuales en el matrimonio y pobre autoimagen/baja autoestima. Pero recuerda, muchos de estos síntomas son experiencias típicas en la vida. Es cuando estos síntomas ocurren en combinación cuando debemos considerar que algún tipo de abuso haya ocurrido.

1. Depresión. Si eres una víctima, puedes experimentar depresión que va desde una leve depresión periódica a una severa que dura muchos meses.

Darla, una encantadora y dedicada cristiana en mi primer grupo de apoyo, se encontró deprimida y considerando suicidarse. Afortunadamente, ingresó en un hospital psiquiátrico cristiano donde, por primera vez, logró recordar un acto incestuoso cometido por su padre. Al enfrentarse con su depresión, fue capaz de tratar el trauma de su pasado y actualmente está ministrando a otras que sufren.

Para algunas víctimas, la depresión se ha convertido en una forma de vida. Siempre me he considerado irritable. Durante los primeros años de nuestro matrimonio, pregunté a mi marido Don por qué no pasaba más tiempo hablando conmigo y compartiendo sus sentimientos. «Francamente», dijo, «tengo que tener tanto cuidado con lo que te digo que no vale la pena». Muchas veces me hundía en profundas depresiones sobre alguno de sus comentarios inocentes e insignificantes. Don concluyó que era más seguro estar en silencio.

La depresión sentida por unas víctimas puede ir y venir. Cualquier cosa la puede disparar: un artículo en el periódico, una conversación telefónica, la temporada navideña o un comentario inocente hecho por un amigo. ¿De dónde viene?

La depresión es un estado de desesperación. Si sufriste abusos de pequeña, probablemente experimentaste un sentimiento de estar atrapada y sin ayuda. No pudiste expresar tu ira y confusión al ser forzada. Llevaste aquella ira dentro y la depresión se convirtió en un mecanismo de supervivencia. A las víctimas no les gusta estar cautivadas por sus emociones, pero no pueden cambiar por sí mismas. Una mujer en Texas escribió: «Siento que no me conozco a mí misma ni lo que puedo hacer en esta vida. Me deprimo tanto que siento que ni siquiera puedo clamar a Dios por ayuda.» Hasta que las víctimas no traten el problema de fondo, puede ser que el cambio nunca ocurra. Incluso entonces, las pautas que se han desarrollado requieren tiempo para cambiar.

¿Estás luchando con la depresión en tu vida? La tienes que enfrentar. Llámala por su nombre y busca la causa de fondo para ser libre.

2. Ira. La ira que las víctimas experimentan es generalmente mal dirigida. Muchas incluso niegan su existencia. Carolina, que estaba en un estudio bíblico que llevaba yo, habló sobre ver a su primo durante las fiestas navideñas. Mientras relataba su historia familiar y su relación con este primo, se puso muy roja y su cuerpo se puso tenso. Resumió diciendo: «Por supuesto, ya no tengo nada en contra suyo porque lo he perdonado.» Con cuidado me interpuse diciendo que sentía que aún estaba enfadada con él por lo que había hecho. Carolina, de manera vehemente, declaró: «*No* estoy enfadada con él. Le he perdonado.» Era obvio que Carolina no era consciente de su ira. Otras en el grupo señalaron que el lenguaje corporal decía otra cosa, pero ella insistió enfáticamente con voz más alta y una cara enrojecida: «¡*No* estoy enfadada! ¡Le he perdonado!» Era obvio que Carolina no había descubierto su ira.

En mi propia vida, empecé a manifestar explosiones de ira muchos meses antes de saber que tenía un problema en esta área. Estaba enfadada con mi jefe cuando pasó por encima de una decisión que yo había tomado. Estaba enfadada con un conductor que superó la velocidad límite. Estaba enfadada con un niño pequeño que entró sin permiso en nuestra propiedad. Estaba enfadada con mi marido por poner demasiado cereal para el desayuno de mi hija. Estaba enfadada con mi hija pequeña por llorar «sin ningún motivo». En términos psicológicos, la ira estaba desplazada, o sea, dirigida a alguien o algo que no era la verdadera raíz.

No fue hasta que pasé por terapia que llegué a reconocer el profundo depósito de ira que había almacenado durante años. La raíz de esta ira se hallaba en toda la relación incestuosa y principalmente se dirigía hacia mi madre y mi padrastro. Ya que las víctimas generalmente provienen de una familia que sufre algún tipo de disfunción, el incesto es solamente una expresión de la ruptura en el sistema familiar. Había otros incidentes y circunstancias en mi vida familiar que también merecían mi ira. Sin embargo, el incesto parecía ser el asunto principal.

Si estás dirigiendo mal tu ira, date cuenta de que frecuentemente lo arrastras desde tu infancia. Nunca has podido expresar o incluso experimentar las emociones vinculadas con el dolor. David Seamands declara: «Pero el tiempo por sí mismo no puede curar los recuerdos que son tan penosos que… estas experiencias pueden ser tan vivas y penosas al calor de diez o veinte años como lo eran diez o veinte minutos después de ocurridas.»[2] La ira interior empieza como una tetera con agua hirviendo. Cuando hayas llegado a ser adulta, la tetera está hirviendo tan vigorosamente que el agua y el vapor salen sin control. Cuando afrontas el problema, puedes empezar a identificar aquella ira y dirigirla hacia su raíz.

3. Temor/ansiedad. ¿Eres una mujer que teme a lo desconocido y generalmente esperas lo peor? Si tu marido sale de viaje de negocios, ¿estás convencida de que el avión tendrá un siniestro? Si ves un documental sobre los terremotos, ¿sientes con certeza que tus hijos estarían atrapados bajo los escombros? Cuando miras un reportaje en las noticias sobre cáncer de mama, ¿estás segura que acabarás con una mastectomía? Frecuentemente las víctimas experimentan temores y ansiedades de este estilo. Las fobias entre las víctimas también son muy comunes. Muchas no pueden subir a los ascensores ni estar en ningún lugar cerrado. Otras reaccionan a situaciones tensas, experimentado ataques de nervios y sintiendo extrema ansiedad.

Yo experimentaba ansiedad justo antes de las fiestas navideñas. Mientras se acercaban las fiestas, me convertía en alguien más irritable y de más mal humor de lo normal. Chillaba a mi hija, miraba mal a mi marido y lloraba sin motivo. Un día de Acción de Gracias, el viaje a la casa de mis padres fue una lucha. Por dentro, mis nervios estaban al descubierto. Aunque había orado y pedido al Señor ayuda para ser cariñosa, sensible y bondadosa, sentí una tensión en mi cuerpo todo el día. Salí aquel día con la sensación de que había estado en la guerra. Pero ni siquiera había pasado nada traumático. No había ocurrido ninguna confrontación ni argumento. Nada. Sin embargo, estaba hecha polvo emocionalmente. Ya que esta pauta se manifestaba cada vez que veía a mi padrastro, al final me di cuenta de que tenía que haber una relación. Fue entonces cuando decidí separarme de él durante un período indeterminado de tiempo. Ésta ha sido una de las decisiones más sabias que he tomado. Era una decisión difícil porque requería que hiciera una elección para mi propio bien. La separación, que duró un año, demostró ser un factor clave en mi proceso de recuperación.

El temor experimentado por muchas víctimas puede

llamarse intimidación. La mujer que se encuentra enfrentada con su agresor puede encontrarse retrocediendo a su papel de pequeña. El sentimiento de desesperación, rechazo y temor sale a la superficie y causa intensa ansiedad. Muchas víctimas me han contado que todavía sienten estas emociones treinta años después del último contacto incestuoso. Al ayudar a las víctimas a desarrollar su autoimagen y al instruirlas sobre cómo relacionarse con sus padres como hijas ya adultas, recuperan fuerzas y son capaces de enfrentarse con sus agresores sin miedo.

4. Culpabilidad/vergüenza. La culpabilidad sentida por muchas víctimas en realidad es *falsa* culpabilidad. Si eres una víctima, probablemente has asumido alguna responsabilidad por el incesto y sin saberlo has llevado una carga de culpabilidad durante años. Muchas víctimas no mencionan un sentimiento de culpabilidad como tal, pero se sienten avergonzadas por lo que ha ocurrido. Para ellas, esto se traduce en sus vidas diarias en un sentimiento de estar cargadas de culpabilidad respecto a todo. Por ejemplo, tú y tu familia salís de excursión un domingo después de la reunión en la iglesia. En seguida, aparecen nubes de tormenta y empieza a llover. Inmediatamente, te muestras deprimida y reservada, y pides disculpas a tu familia. Obviamente tienes la culpa porque no has leído la previsión del tiempo. O tu marido olvida una visita al dentista y, aunque se lo recordaste la semana pasada, te descuidaste de llamar a su oficina el día de la visita para recordársela. Así que tú tienes la culpa. Las circunstancias son interminables. Las víctimas tienen una tendencia a llevar la culpa de su familia y de todo el mundo encima de sus hombros.

La culpabilidad a menudo se refleja en nuestra relación o falta de relación con Dios. ¿Eres el tipo de persona que está pidiendo perdón continuamente y anda durante días haciendo penitencias? ¿Tienes dificultad en aceptar el perdón? Nunca pude entender cómo mi marido podía pecar, pedir perdón a Dios y seguir con la vida. Yo pecaba, clamaba por perdón durante días y aún me sentía cargada con la culpa. Era incapaz de aceptar el perdón de Dios porque sentía que no lo merecía.

Algunas víctimas muestran una personalidad totalmente opuesta a ésta. Son mujeres que controlan a todos, negando toda responsabilidad y manteniendo a todos los demás como responsables excepto ellas mismas. Muchas han tenido más de un matrimonio y tienen poco interés en desenterrar el pasado. Ellas, también, son víctimas de culpabilidad. Han envuelto su culpabilidad en una defensa para poder sobrevivir. Hay esperanza para ellas, pero sólo después de que estén dispuestas a afrontar el problema y llegar a la raíz.

¿De dónde viene la culpa? En muchas ocasiones el agresor la ha puesto allí. Quizás te ha dicho: «Estás muy preciosa con esos pantalones cortos blancos», o «Sabes que tu madre estará muy enfadada contigo si se entera de esto, así que debes mantenerlo en silencio». Como niña inocente, te engañó para creer que fuiste conspiradora o cómplice en el acto incestuoso. Para muchas, la culpabilidad sobre su participación y el temor sobre las represalias eran tan fuertes que el secreto muchas veces se mantuvo intacto durante años. En una encuesta nacional llevada a cabo por *Los Angeles Times,* en julio de 1985, se descubrió que antes de la encuesta, una de cada tres víctimas nunca había contado a nadie que había sido forzada sexualmente.[3]

¿Es la culpabilidad o vergüenza un problema en tu vida? Si es así, puede ser una indicación de un problema más profundo y escondido. Algunas víctimas ni siquiera son capaces de reconocer que sienten culpabilidad o vergüenza. Otras pueden estar cargadas con ellas. La clave es reconocer que la culpabilidad se ha asumido erróneamente. Tienes que enfrentarte con el pasado para liberarte del enredo de culpabilidad del presente.

5. Dificultad en establecer relaciones. ¿Es esto un problema para ti? Para la mayoría de víctimas la dificultad en esta área arranca de una falta de confianza. Son incapaces de permitir a otras personas acercarse demasiado. Al mismo tiempo, tienen una profunda necesidad de estar asociadas íntimamente con otros. Hoy he recibido una llamada telefónica de Karen, una mujer soltera en nuestro grupo de apoyo, preguntándome: «¿Has oído lo que he hecho?»

«No», contesté.

«He tomado unas píldoras este fin de semana», respondió. «La soledad simplemente era demasiado para mí. Jan, me siento muy sola.» Pasé los siguientes minutos dándole seguridad e intentando consolarla con una afirmación de amor.

No es infrecuente que, sin querer, las víctimas saboteen las relaciones que tan desesperadamente necesitan. Tanto las víctimas casadas como solteras tienen dificultad en esta área. Si eres soltera, quizás tengas una o dos amigas íntimas. También puedes tener un sentimiento general de desconfianza en las mujeres. Puede ser que hayas tenido numerosas relaciones con hombres o que no hayas tenido ninguna. En cualquier caso, puedes recelar de cualquier hombre, lo cual te hace buscar o bien mantener el control o retirarte y no involucrarte ni siquiera. Si estás casada, puedes mostrar tu desconfianza sospechando la infidelidad de tu marido. Puedes acusarle de desear haberse casado con otra persona. O quizás estás insatisfecha con él como pareja. Al principio de nuestro matrimonio, mi marido Don no se atrevía a decirme que su secretaria Mary Lou estaba muy elegante en el trabajo aquel día. Si lo hacía, mi cabeza le daba vueltas durante días. Interrogaba a Don sobre Mary Lou y *sutilmente* le acusaba de creer que sería más feliz con ella. Esta desconfianza minaba nuestra relación. Sabía cuál era la fuente y le dije cuán difícil me era confiar en alguien. Le dije francamente un día: «Cada hombre con el que he salido me ha traicionado. ¿Cómo podría esperar algo diferente de ti?»

Don respondió con amor, pero me retó firmemente: «Cariño, recibirás de mí lo que esperas. Si esperas fidelidad y confianza completa, cumpliré el reto, pero si sigues desconfiando y sospechando de mí, probablemente caeré víctima de tus expectaciones.»

Le hice un voto aquel día de que iría en contra de todo lo que mi experiencia me había enseñado, y que, por fe, confiaría en él implícitamente. Al principio era difícil parar aquellas vueltas en la cabeza, pero el fruto de aquella decisión se ha manifestado en un vínculo de amor más fuerte entre nosotros y un sentimiento renovado de confianza en nuestra relación.

Muchas veces la desconfianza de la víctima se manifiesta en una incapacidad para conseguir y mantener una relación íntima con Dios. En un momento u otro, la mayoría de las víctimas luchan con este tema. Examinar el pasado y ver de dónde viene esta incapacidad les ayuda a empezar a cambiar sus formas de relacionarse. David Seamands comenta: «Años de experiencia me han enseñado que, al margen de lo correcta que sea la doctrina, a menos que tengan una imagen, un sentimiento y una impresión vívida de que Dios es verdaderamente bueno y misericordioso, no puede haber una victoria espiritual duradera en sus vidas.»[4]

Generalmente, la víctima no encuentra difícil entender cómo el incesto está relacionado con esta área. Alguien al cual ella amaba y confiaba de pequeña, sin excusa la ha deshonrado física y emocionalmente. Puede llevar las cicatrices durante toda la vida y se manifiestan en una incapacidad de alcanzar y mantener intimidad con otros. ¿Tienes dificultad confiando en otros? Puedes superar tu desconfianza y desarrollar relaciones ricas y significativas con otros y con Dios si estás dispuesta a trabajar a fondo tu pasado.

6. Abuso repetido. Este síntoma es tan común entre todo tipo de víctima que es escalofriante. Muchas víctimas se encuentran en situaciones de abuso durante años después del primer incidente. Pueden ser forzadas en el trabajo, en una relación o en su matrimonio. Muchas mujeres a las cuales he aconsejado reconocen ésta como una pauta en sus vidas. Una mujer dijo: «Es como si estuviera mandando mensajes invisibles o llevando una señal que dice: "Abusa de mí."» En un sentido, sin saberlo, han adoptado esta actitud, principalmente sobre sí mismas.

He hablado con un sinfín de mujeres que cuentan una historia parecida. Una víctima dijo: «Cuando empecé a salir con chicos, siempre parecía atraer a aquel tío que abusaba de mí verbalmente. Yo me mantenía en una relación horrible durante meses, esperando cambiar al chico en un ser humano sensible y cariñoso. En cambio, acababa completamente derrotada, una ruina emocional, a causa de todo el abuso que había recibido. Al final, después de unas relaciones desdichadas, me casé sólo para descubrir que me había casado con un alcohólico con un genio violento. Me siento atrapada. Sin embargo, como cristiana, me siento ligada a este matrimonio, no importa lo que tenga que sufrir.»

Para algunas, el abuso repetido se manifiesta en una situación laboral u otra circunstancia de la vida. Puedes ser como Joana, que trabajaba con un compañero que abusaba de ella verbal y emocionalmente cada día. Joana se sentía desesperada y enfadada, pero pensaba que no tenía alternativa.

Este síntoma tiene un efecto como una onda expansiva. Una mujer se casa con un hombre que abusa de ella y de sus hijos. Luego, la niña forzada se casa con alguien que abusa de sus hijos, y la cadena sigue. Las estadísticas indican que el 75% de las niñas forzadas en su hogar tienen madres que eran víctimas de pequeñas.[5] Esto es una demostración de lo que las Escrituras declaran en Éxodo 34:7: «que visita la iniquidad [el pecado] de los padres sobre los hijos y sobre los hijos de los hijos, hasta la tercera y cuarta generación». Para la víctima, una de las maneras más seguras para romper esta cadena es ser consciente de su propio abuso y empezar a trabajar a fondo su pasado doloroso.

La víctima se siente atraída a personas y circunstancias que siente que merece. Las víctimas no son diferentes de cualquier otra cuando se trata de elegir entre lo conocido y lo desconocido. Para la mayoría de nosotras, no importa cuán doloroso o asqueroso pueda ser, nos es mucho más fácil elegir lo conocido que lo desconocido. Tuve una clara demostración de esto al principio de mi trabajo como asistente social con jóvenes. Trabajaba con niños forzados y abandonados, desde recién nacidos a los de diecisiete años. Muchos habían sido golpeados, privados o maltratados sexualmente y algunos habían sido quemados con colillas por todo el cuerpo. Confrontados con la decisión entre volver al ofensor, generalmente un padre o madre, o ir a un hogar de niños desconocido, la mayoría optaba por volver a casa. Sabían lo que les esperaba allí. Como víctima, principalmente has conocido un único papel desde la infancia: el de víctima. Por muy doloroso o devastador que fuera, no conocías ninguna otra alternativa. Te encuentras retrocediendo a lo que has «conocido» como tu destino en la vida. Pero hay una puerta de esperanza para ti. Puedes recibir ayuda para erradicar este síntoma, reconstruyendo tu autoimagen y encontrando relaciones renovadas con Dios y con otros.

7. Corte o control excesivo de emociones. ¿Eres una persona que apaga tus emociones? No dejes de leer, incluso si has contestado que no. Las víctimas que sufren el corte de emoción a menudo son las más difíciles de alcanzar. Son mujeres que parecen tener todo bajo control. Parecen confiadas hasta el punto de ser impulsadas, independientes hasta el punto de estar aisladas, y controladas hasta el punto de ser insensibles. La razón por la que son difíciles de alcanzar es que raramente reconocen que tienen problemas. Mientras más trabajo con víctimas, más me encuentro con esas mujeres. Yo también sufría de una necesidad de estar en control, pero era completamente inconsciente de ello.

Para ayudarte a entender cómo se manifiesta el corte de emociones, vamos a mirar su origen. Si eres una víctima, era la *elección subconsciente* que tomaste para poder sobrevivir. Ya que el incidente de abuso sexual incestuoso era tan traumático de pequeña o adolescente que disparó una miríada de emociones. En su mayor parte, estas emociones nunca fueron expresadas, sino aplastadas y suprimidas durante años. Este mecanismo de defensa te ayudó a tratar el intenso dolor emocional, un dolor tan grande que aprendiste a «apagar» la emoción asociada con el incidente. Cada vez que empezabas a sentirla, dirigías tu enfoque a otra cosa más placentera. Mientras pasaban los años, aprendiste por experiencia que ésta era una manera eficaz de tratar la emoción no deseada. Lo llamo una técnica de supervivencia porque aprendí de las experiencias de mi infancia cómo sobrevivir a mi mundo de dolor. Aprendí que se podía evitar el dolor, haciendo un cortocircuito en mis emociones, y aprendí a no enfrentarme con ellas. Debes recordar que esto no es un acto consciente para la víctima, pero por tanteo se ha convertido en la mejor manera de hacer frente a las circunstancias de la vida.

Relacionada con este corte de emoción está la víctima que controla excesivamente. En general, estas mujeres parecen fuertes y determinadas a controlar su ambiente. Claramente, el aspecto controlador de su personalidad ha evolucionado de su falta de control o poder dentro de la relación abusiva. Muchas víctimas recuerdan que se dijeron que nunca permitirían a nadie aprovecharse de ellas otra vez. Para entender cómo estos dos síntomas concretos, el corte de emociones y la personalidad dominante, funcionan juntos en las vidas de las víctimas, sería mejor compartir unas experiencias reales.

Connie, una mujer muy motivada en mi primer grupo de apoyo, decidió que ya era hora de afrontar «esta cosa del incesto». Era una cristiana dedicada y muy respetada en su iglesia. Mientras pasaban las primeras semanas, Connie era incapaz de llegar a sus sentimientos más profundos. Mientras compartía muchos detalles de su pasado, los presentó como hechos, sin emoción. El grupo la animó a permitir que sus sentimientos salieran. Al final, a través de unas circunstancias inquietantes en su familia, pudo descubrir que tenía emociones profundas. Mientras Connie iba a su terapeuta y continuaba recibiendo apoyo del grupo, aprendió cómo descubrir más de sus sentimientos, e incluso cómo expresarlos. Reconoció que de pequeña, le fue negado el derecho de expresar cualquier emoción y que esto lo había transferido a su vida de adulta.

Adela también tenía dificultad sintiendo emoción sobre cualquier cosa. Se dio cuenta de esta dificultad principalmente por su incapacidad de responder cuando alguien le decía: «Te quiero.»

Adela dijo: «Ni siquiera puedo sacar las palabras.»

Luchaba también en su tendencia a asumir responsabilidad por todo. Intentaba controlar a su marido, a sus hijos, su ambiente e incluso a sus amigos. Presentaba sus opiniones y se aseguraba de que todos los demás las aceptaran. Sobre todo, mostraba fuerza y estoicismo con compasión y sensibilidad limitadas. A través del grupo de apoyo, Adela aprendió a localizar el origen de su conducta y a recibir el ánimo que necesitaba para cambiar pautas ya muy establecidas.

8. Problemas sexuales en el matrimonio. Como puedes ver de los síntomas anteriores, un síntoma parece llevar a otro. No conozco a ninguna víctima que no haya experimentado cierta dificultad sexual. Simplemente es lógico que la herida infligida en el pasado se manifieste en esta área tan íntima. Muchos maridos que he aconsejado no pueden ver la relación al principio. Muchas veces responden diciendo: «Una cosa es él entonces, y otra soy yo ahora. ¿Por qué se ha anclado mi esposa en el pasado?»

El Dr. James Earnest, un psicólogo cristiano con el cual he trabajado, explica a las mujeres en nuestros grupos que muchas dificultades sexuales vienen de imágenes del pasado de los incidentes incestuosos originales. Les dice que es muy parecido a los veteranos de la guerra del Vietnam, que experimentan lo que se llama el síndrome de estrés postraumático. Una situación similar puede encender una imagen del pasado devastadora. Mis propias imágenes del pasado me mostraban cuán dramática y completamente afecta esto a las víctimas. Cuando estaba en la cama con mi marido una noche, sentía su deseo de ser íntimos. En mitad de hacer el amor, me puse rígida, helada e incapaz de moverme. Como había aprendido a través de la terapia a procesar lo que ocurría, mentalmente investigué por qué reaccionaba de esa manera. Por fin, después de descartar ciertas condiciones en el ambiente, supe la causa de mi intensa reacción. Era la colonia de mi marido. Tenía la misma fragancia que mi padrastro había llevado durante años. Mi subconsciente había conectado los dos. Cuando comparto este ejemplo con víctimas, sin excepción recuerdan cosas parecidas.

Como víctima fuiste atacada y forzada en esta área de intimidad y es lógico que algunas de las cicatrices más profundas residan allí. A veces las víctimas no son conscientes de este problema. Sin embargo, los maridos cuentan que notan una timidez o falta de interés por parte de sus esposas. Jenny es un ejemplo de esto. Antes de venir a nuestro grupo, Jenny y su marido no habían hecho el amor durante meses. Compartió con las otras mujeres: «Me siento como un objeto en vez de una persona cada vez que se acerca a mí. Ya no puedo fingir más.» En una de nuestras reuniones educativas mantenidas para los maridos, animamos al marido de Jenny simplemente a abrazar, acariciar o hacer compañía a su esposa y nada más. Como muchas antes de ella, era increíble cómo, en unos pocos meses, Jenny se sintió mejor sobre sí misma y su marido. Estaba mucho más libre para responder porque se sentía amada como persona y sentía que tenía una opción en su relación matrimonial.

El problema sexual en el matrimonio es un problema tan arraigado que requiere tiempo para solucionarlo. Algo de la dificultad experimentada por las mujeres en esta área tiene su raíz en la culpabilidad. Como víctimas, las niñas muchas veces sienten cierto placer fisiológico en la experiencia incestuosa. La culpabilidad sobre esto les lleva a apagar su mecanismo de placer y, al final, tienen dificultad para disfrutar la relación sexual con su marido. Cuando comparto esto con víctimas, sienten alivio. Frecuentemente creían que ellas eran las únicas que tenían una respuesta física. Les digo que incluso a los diez años de edad, sentí mi cuerpo responder fisiológicamente. Yo también experimentaba una gran cantidad de culpabilidad sobre esto hasta que aprendí que Dios me había hecho un ser fisiológico, equipado con las respuestas naturales y normales que me permitirían experimentar placer dentro de la relación íntima del matrimonio. Darte cuenta de que no eres responsable por estos sentimientos y de que su despertar fue completamente fuera del contexto que había planeado Dios, te ayudará a poner la responsabilidad donde corresponde, o sea, con el agresor. Él activó aquellas respuestas y resultó en daño para ti, la víctima. Mientras compartes tus experiencias y tus dificultades en esta área, puedes empezar a romper la barrera que impide la intimidad con tu pareja.

9. Pobre autoimagen/baja autoestima. El síntoma fundamental sufrido por todas las víctimas es su pobre autoimagen. Los dos términos de pobre autoimagen y baja autoestima, van juntos. Cuando tú trabajas en uno, el otro mejora.

La autoimagen es la perspectiva que la víctima tiene de sí misma. Desde temprana edad, se ha visto a sí misma como «mala» o sucia, con poco o nada de valor. Desafortunadamente, las víctimas adoptan una filosofía que dice: «Las cosas malas ocurren a personas malas.» Así, cuando el incesto ocurre, la víctima piensa que lo ha merecido, una conclusión no solamente debida al incesto en sí, sino frecuentemente a la crianza que recibió y a toda la dinámica familiar. Como tiene una perspectiva distorsionada de su valor, la víctima no se tiene en alta estima, lo cual es en esencia, baja autoestima.

¿Te concentras en tus fracasos en vez de en tus éxitos? ¿Frecuentemente eres escéptica y/o cínica y negativa? ¿Pareces egoísta e introspectiva a otros? En general, las víctimas de incesto no se sienten bien sobre sí mismas. Incluso las que parecen confiadas y en control pueden ser víctimas de baja autoestima. Algunas tienen dificultad en aceptar las críticas y se hacen defensivas. Otras con complacencia aceptan lo que les da, incapaces de defenderse. Rechazan cualquier cosa positiva dicha de ellas.

Quizás conoces a alguien así. Puedes decir a tu amiga Susana: «Te has cortado el pelo. Te queda muy bien.»

Susana, sin variar, responde: «Pues lo odio. No tenía que habérmelo cortado así.» O, «¿Cómo puedes decir esto? Está horroroso.»

Durante años desconfié constantemente de los comentarios positivos porque no me sentía bien respecto a mí misma. Tenía mi propia imagen negativa. Cuando la gente me decía cumplidos, sus palabras no encajaban con la imagen que tenía de mí misma. Encontré muchas maneras de invalidar sus comentarios para poder mantener mi imagen intacta. Por supuesto, todo esto lo hacía en un nivel subconsciente. Ni siquiera lo reconocía.

¿De dónde viene la pobre autoimagen de la víctima? No hay duda de que la familia juega un papel muy importante en el desarrollo de la autoimagen y autoestima de un niño. En una familia incestuosa, siempre hay algún tipo de disfunción. Generalmente hay una ruptura entre el marido y la esposa, lo cual se transmite a los hijos. Los padres no son capaces de amar al niño por quien es, lo que resulta en baja autoestima del niño. Es obvio que cualquier contacto sexual entre la víctima y el agresor corrobora aún más cualquier sentimiento negativo. Cuando alguien ajeno a la familia inmediata comete el abuso sexual, el daño es igual de devastador. He trabajado con muchas mujeres cuya familia, fuerte y unida, contribuyó a su autoestima de pequeñas. Pero después de ser forzadas por alguien ajeno a la familia inmediata, su autoestima sufrió en gran manera.

La autoimagen y autoestima de un individuo está en la base de aquella persona. Cuando ésta sufre un trauma o un desarrollo inadecuado, se manifiesta en muchas áreas. Imagina el cimiento de una casa. Si alguien viene y explota el cimiento sin el conocimiento o consentimiento de los constructores, tendrá un efecto dramático en la estructura. Si los constructores siguen edificando sobre ese cimiento, la estructura está destinada a desmoronarse. La autoimagen de la víctima de incesto es como aquel cimiento. Cuando intenta construir su estructura, o sea, su personalidad y carácter, sobre aquel cimiento defectuoso, a la larga las señales del daño aparecerán. Ha de volver al cimiento, es decir, a su autoimagen, y restaurarlo. Entonces puede seguir con la reconstrucción de la estructura. Sin duda, algunas de vosotras estaréis diciendo: «No todas las que tienen una pobre autoimagen son víctimas de incesto.» Por supuesto, esto es verdad. Pero todavía no he conocido a ninguna víctima de incesto que no haya padecido de una pobre autoimagen antes de recibir consejería. Más adelante, hablaremos de cómo se puede volver a edificar este cimiento y qué efecto tendrá sobre la víctima y su relación con otros.

Síntomas adicionales

He cubierto lo que considero que son los nueve síntomas principales de una víctima. En ninguna manera es ésta una lista exhaustiva, porque hay numerosos síntomas físicos que se pueden asociar con la víctima. Éstos incluyen jaquecas, afecciones digestivas y dolor agudo sin origen conocido. Trastornos alimenticios como anorexia (negarse a comer) y bulimia (comer sin parar para vomitarlo después) son bastante comunes. La obesidad y hábitos alimenticios no controlados son sintomáticos también. Trastornos del sueño como insomnio, sueño excesivo, pesadillas e imágenes del pasado, se cuentan comúnmente entre las víctimas. El bloqueo de los recuerdos de incidentes específicos o un lapso de memoria sobre un largo período de tiempo de la infancia frecuentemente es una señal de represión. David Peters, un experto muy conocido en esta área, declaró recientemente en un programa de radio que cree que hasta el 70% de las mujeres no tienen un conocimiento consciente de que un abuso sexual haya ocurrido en su pasado.[6]

Las víctimas adolescentes manifiestan rasgos como promiscuidad, huidas de casa, elección de malos amigos, abuso de droga y alcohol y una rebeldía general hacia la autoridad. Un amigo mío, que es capellán, había hecho una encuesta a chicas delincuentes en una instalación para jóvenes. Encontró que hasta un 90% habían sido forzadas sexualmente de pequeñas. Una encuesta en Minneápolis (EE.UU.) de prostitutas adolescentes indicó que el 75% de ellas habían sido forzadas sexualmente de pequeñas,[7] provocando la perpleja pregunta: «¿Por qué se hacen sexualmente promiscuas las víctimas cuando han sido tan traumatizadas por el abuso sexual?»

He encontrado que las víctimas generalmente responden en una de tres maneras diferentes. Primera, se retiran completamente y no tienen ningún deseo de participar en cualquier relación sexual incluso dentro del contexto del matrimonio. Segunda, responden haciéndose íntimas con casi todos los que se cruzan en su camino antes del matrimonio. Además, frecuentemente tienen aventuras después de casarse. Tercera, responden de manera errática entre las primeras dos. Frecuentemente, los maridos cuentan que en un momento su esposa pasa de ser muy sensible y seductora a mostrarse fría, frígida y sin interés.

La clave para entender la respuesta promiscua se encuentra en la relación que la víctima hace entre el amor y el sexo. Muchas han emparejado los dos. Así que, para sentirse amadas, participan en el acto sexual. Para muchas víctimas, el incidente incestuoso era la única ocasión en que se sintieron amadas. Mientras yo crecía, me dijeron que la única razón por la que alguien estaría interesado en mí sería por razones sexuales, y esto me dejó con una perspectiva distorsionada de mí misma y de mi valor como persona. Se ha dicho que la mayoría de las prostitutas se ven solamente como objetos y no como personas. Esto, también, ocurre a la víctima.

Una segunda razón por la que la víctima puede responder de manera promiscua es para conseguir algún tipo de venganza. Esto es común en los años de la adolescencia. Es como si estuviera diciendo: «Lo daré a todos los demás, pero a ti [el agresor] no.»

He conocido a varias víctimas que, aunque eran promiscuas antes del matrimonio, se volvieron frígidas e insensibles después del matrimonio. ¿Qué ocurre? Antes del matrimonio la víctima está intentando desesperadamente sentirse amada. Salta de una relación ilícita a otra buscando aquel amor que parece estar fuera de su alcance. Frecuentemente está involucrada con hombres que solamente pueden expresar ternura e interés en un ambiente sexual, así que ella se encuentra en este ambiente mucho tiempo. Con la seguridad del matrimonio, surge la pregunta final. ¿Todavía me amará si nunca tengo sexo con él? La víctima erróneamente ha relacionado el amor y el sexo y, para poder dar la vuelta a este lazo, piensa que la abstinencia es la única solución. Por supuesto, su marido tiene dificultad en ajustarse a su conclusión *no comunicada*.

Características de la personalidad como ser excesivamente perfeccionista y/o rígida, un espíritu crítico, una incapacidad de someterse a la autoridad y ciertas conductas manipulativas, son todas posibles manifestaciones de un pasado incestuoso. Desafortunadamente, un alto porcentaje de víctimas abusa de sus propios hijos en alguna manera, lo cual es un fenómeno increíble. Pero otra vez las Escrituras hablan claramente que, a menos que el pecado se resuelva, se puede llevar de generación en generación. Las víctimas no quieren abusar de sus hijos, pero a través del modelo que recibieron y el campo limitado de sus alternativas caracteriales, se encuentran en el papel del agresor.

Analizar tu condición

Al ver estos síntomas, no llegues a conclusiones demasiado rápidamente. Si ves una mujer obesa en la esquina de la calle que parece deprimida, no asumas automáticamente que es víctima de incesto. Son los síntomas en *combinación* que pueden ser indicativos de un pasado traumático. Cuando hablo a un grupo grande, generalmente puedo distinguir las víctimas en la audiencia por sus reacciones a lo que estoy diciendo. Frecuentemente hay mujeres que se me acercan después y me dicen: «Cuando estabas dando la lista de síntomas, mentalmente estaba marcando cada uno. Nunca me había dado cuenta de que quizás tenían alguna relación con lo que me ocurrió de pequeña.»

¿Experimentas tú o alguien que conoces frecuentes períodos de depresión? ¿Estás irracionalmente enfadada con tu marido y/o tus hijos? ¿Te sientes intimidada o temerosa en presencia de algunos miembros de tu familia? ¿Te sientes avergonzada o intensamente culpable cuando no has cumplido tus expectativas? ¿Siempre te ha sido difícil acercarte emocionalmente a otros o permitir a otros acercarse a ti? ¿Eres forzada repetidamente por otros que imponen sus demandas sobre ti? ¿Eres incapaz de llorar o sientes la necesidad de controlar todo y a todos en tu vida? ¿Disfrutas de tu relación sexual con tu marido, o te arrugas a veces al mero pensamiento? ¿Puedes aceptar un cumplido amablemente, o rechazas cualquier comentario positivo dirigido a ti?

Si has contestado sí a la mayoría de las respuestas, te desafío a repasar los síntomas otra vez. Si no tienes ningún recuerdo de abuso sexual en tu infancia, pero tienes la mayoría de los síntomas, quizás tienes algunos recuerdos reprimidos. Será importante para ti buscar consejería de un profesional cristiano que tenga experiencia en el área de abusos. Si sabes que eres una víctima, date cuenta de que compartes estos síntomas con miles de otras mujeres. No estás sola. Sé honesta contigo misma. No temas afrontar el problema *examinándote,* como dice 1ª Corintios 11:28. De la misma manera que la destrucción bajo la superficie de la planta «estrangulada», tus síntomas no desaparecerán por sí solos. Tienes que estar dispuesta a desenterrar tu pasado para poder experimentar salud en el futuro. El Espíritu Santo y las siguientes páginas te ayudarán en el camino. A veces el proceso puede ser doloroso, pero no pierdas la esperanza. Dios, el Jardinero con pleno conocimiento está animándote. Yo también.

PENSAMIENTOS PRÁCTICOS

1. Las Escrituras dicen en 1ª Corintios 11:28: «Examínese cada uno a sí mismo...» Abajo hay una lista de dificultades que puedes estar experimentando. Marca las que te correspondan:

   Dolores de cabeza _____
   Culpabilidad/vergüenza _____
   Depresión _____
   Cansancio _____
   Bloqueo de recuerdos _____
   Aislamiento _____
   Pánico _____
   Ira _____
   Insomnio _____
   Ansiedad _____
   Baja autoestima _____
   Temor _____
   Problemas sexuales _____
   Soledad _____
   Pesadillas _____
   Anorexia _____
   Bulimia _____
   Conducta compulsiva _____
   Falta de disciplina _____
   Abuso repetido _____
   Distancia de Dios _____

Ya que has identificado algunas de las dificultades, lee el Salmo 51:6. Durante los próximos meses, pide que el Espíritu Santo te revele la verdad sobre las raíces de estas dificultades.

2. Si has marcado siete o más de estas características, te ayudará el buscar consejería de un profesional cristiano en tu área.
3. Memoriza Juan 8:32.

Capítulo 3

Paso II.
CONTAR EL INCIDENTE

«No puedo hacerlo», sollozaba Mindy. «Las palabras simplemente no me salen. ¿Estás segura de que este paso es necesario?»

A menudo ésta es la respuesta que recibo de las víctimas cuando hablamos sobre el paso de recordar el incidente para contarlo. Aunque la mayoría de las víctimas pueden ver los incidentes en su mente tienen dificultad en expresar verbalmente lo que han experimentado. Puedes preguntar: «¿Por qué es necesario expresar verbalmente el trauma?» ¿Alguna vez has estado en un accidente de coche? Si te ha pasado, ¿qué es lo que haces primero cuando ves a un familiar que no fue testigo del accidente? Le cuentas lo que ha ocurrido. ¿Por qué tienes que hacerlo? Es porque tienes que liberar la energía emocional interna almacenada dentro de ti. Relatar el incidente no cambia el evento ni su impacto, pero sí libera algo de la emoción que envuelve tu experiencia.

En general, las víctimas de incesto no tienen una oportunidad inmediata de expresar su trauma a una persona que le apoya sin criticar. En cambio, aguantan dentro las intensas emociones que rodean el evento y desarrollan actitudes defensivas dañinas que les permiten hacer frente a su dolor interno. David Seamands escribe que tenemos «la capacidad de bloquear fuera de nuestra mente cosas que no podemos tolerar. Lo más triste de esto es que, aunque podemos bloquear el dolor de modo no intencional, con todo, seguimos sufriendo las consecuencias».[1]

Aun cuando las víctimas tienen la oportunidad de expresar lo que ha ocurrido, la culpabilidad y la autoincriminación hacen difícil expresar su trauma verbalmente. Mindy era una mujer joven en mi grupo de apoyo, cuya vida estaba jalonada con abusos sexuales. Determinamos que los incidentes empezaron con su padre tan temprano como a los dos o tres años de edad. Con frecuencia, los abusos sexuales iban acompañados de abuso físico severo y algo de negligencia. Mindy empezó a asistir a la guardería a los tres años. Cuenta: «Me acuerdo de que un día me llevaron a la oficina del director. Muchas veces me había dicho que mi pelo era mi bonito. La segunda o tercera vez que me llevaron a su oficina, empezó a abusar sexualmente de mí. Estos encuentros duraron dos o tres años hasta que nos cambiamos de casa. El director también me obligó a hacerle todo tipo de cosas. Sentía que no podía confiar en nadie.» Más tarde en su vida, fue forzada sexualmente por su hermano mayor, su primo y un tío.

No fue hasta que Mindy se casó y tuvo hijos que Dios le mostró que tenía que trabajar a fondo los asuntos del pasado. A causa de la magnitud de los abusos sexuales y la temprana edad a la que empezaron, su proceso de curación será bastante largo. No obstante, ha hecho bastante progreso aun en un período de seis meses. En un caso como el de Mindy, me preguntan muchas veces si es necesario que la víctima cuente todos y cada uno de los incidentes. Creo que es importante que exprese verbalmente las emociones y sentimientos asociados con cada incidente que le venga a la mente. Más tarde puede ocurrir que aparezcan recuerdos de otros incidentes. Entonces, también será necesario tratarlos.

¿Qué beneficios hay en contarlos?

Incluso después de haber acabado la terapia y estar llevando grupos de apoyo, me di cuenta de la importancia de este paso de contar. Tenía un recuerdo que nunca había contado antes porque parecía insignificante al lado de mis otros recuerdos. Una tarde, en medio de una relación íntima con mi marido, era incapaz de responderle. Me di cuenta de que mi marido estaba tocándome de la misma manera que lo hizo mi padrastro. En ese instante, mentalmente volví a cuando tenía catorce años. Unas noches más tarde, con mi cabeza descansando en los brazos de mi marido, por primera vez conté lo que había experimentado a los catorce años. Empecé a sollozar e inmediatamente sentí el alivio de la presión interna y la falsa culpabilidad que había llevado durante quince años. Cada vez que compartí esta experiencia con las mujeres en nuestros grupos de apoyo, me sentí un poco menos sujeta al recuerdo hasta que podía contar el incidente sin la vergüenza que me había atenazado durante esos años.

Entonces me di cuenta de que Satanás se aprovecha de los dolores emocionales en nuestras vidas y nos mantiene en un estado de condenación cuando, en cambio, podríamos estar andando en libertad debido a la obra completa de Cristo en la cruz.

Stormie Omartian, una víctima de severo abuso de

pequeña, una vez dijo en un seminario: «El propósito de Satanás es ocultar, pero el de Dios es revelar la verdad.»

Contar el incidente permite a la víctima empezar a liberar algunas de las emociones de su experiencia y trae a la luz lo que ha estado oculto durante tanto tiempo.

¿Hay una base bíblica?

Contar el incidente, es frecuentemente motivo de polémica en círculos cristianos. Muchas veces la gente cita versículos como 2ª Corintios 5:17: «las cosas viejas pasaron; he aquí, todas son hechas nuevas»; o Filipenses 3:13: «pero una cosa hago: olvidando lo que queda atrás, y extendiéndome a lo que está delante…» Si miramos los versículos anteriores en Filipenses 3, encontramos a Pablo contando cosas de su pasado. Pablo nunca olvidó de dónde había venido, ni tampoco cuán activamente había perseguido a la iglesia. El énfasis de la instrucción de Pablo es de no anclarse en el pasado de modo que seamos ineficaces en el presente. Para la víctima, es sumamente importante mirar profundamente su experiencia porque ha pasado toda una vida evitando el dolor.

Cuando empecé a pedir al Señor que me enseñara el pasaje que mostraba este principio, el Señor me guió a estudiar el libro de Nehemías. Nehemías sentía una carga para reedificar el muro de Jerusalén. Obtuvo permiso del rey para ir a Jerusalén. En Nehemías 2:11-18 leemos que subió por la noche e hizo una expedición para evaluar el muro. Iba de puerta en puerta examinando lo derrumbado y destruido. Después de hacerlo, llamó a sus hombres y compartió su visión y su plan para la reedificación.

Las víctimas han de seguir el ejemplo de Nehemías. Han de evaluar las pérdidas y daños en sus vidas antes de poder ponerse a reedificar de manera inteligente. Este proceso puede ser largo porque el daño ha sido profundo. Como consejera, llevo a las víctimas cuidadosamente por esta etapa de inspección, ayudándoles a preparar su plan de reconstrucción, y ayudándoles a empezar a poner en marcha su plan para la recuperación.

Muchas veces los cristianos exhortan prematuramente a «seguir adelante» a aquellos que han experimentado una pérdida tremenda. Decidimos por víctimas que ya han pasado demasiado tiempo ancladas en el pasado, pero podemos hacer daño con nuestra corrección. Si estuviéramos dispuestos a dejarles avanzar más lentamente, sería de mucha más ayuda. Hay un momento apropiado para animar a una persona que está revolcándose en la autocompasión a mirar hacia adelante y seguir con la vida, pero hay una diferencia entre inspeccionar una pérdida que ha afectado profundamente a todo tu ser y anclarse en el pasado de manera negativa y destructiva.

Contando los incidentes y edificando sobre una base bíblica, la víctima puede recibir valioso ánimo para su recuperación. No obstante, quisiera enfatizar que, si la víctima ha mantenido su experiencia secreta desde pequeña, ha de tener cuidado en compartir esta información con la persona adecuada. Elegir a alguien que no sea comprensivo o compasivo puede causar aún más daño. Recomiendo que las mujeres lo compartan con alguien que *saben* responderá con una profunda comprensión y aceptación, alguien que no culpará, condenará, juzgará o menospreciará lo que ha ocurrido. Desafortunadamente, muchas mujeres no pueden ir a sus maridos ni a sus pastores porque estos hombres no proporcionan el apoyo necesario. Demasiadas veces, cristianos con buenas intenciones, incluso pastores, dicen a las víctimas que han de seguir con la vida, dejar el pasado atrás y simplemente ser obediente a la Palabra. ¡Pero no es tan sencillo!

Cómo contar

Ahora que hemos puesto la base para contar los incidentes, hablemos de cómo se hace. Para la víctima, muchas veces, es necesario hablar sobre su historia o dinámica familiar para que el abuso sexual se vea dentro de su contexto. El incesto no es un incidente aislado que surgió de un ambiente familiar normal y sano, sino que era el producto de un hogar o conjunto de relaciones disfuncional y enfermo. Compartir mi propia historia probablemente será de ayuda.

De pequeña, sentí una gran cantidad de aislamiento y un profundo sentimiento de rechazo. En nuestra familia, el amor no se demostraba con abrazos o cariño. Era la menor de tres hijas. Sandra tenía siete años más que yo y Kathy cuatro. Nuestra madre se casó a los quince años con nuestro padre biológico, que tenía diez años más que ella. En mis primeros años de vida, teníamos una criada que vivía con nosotras porque mi madre trabajaba. Entonces, como ya sabes, mis padres se divorciaron cuando yo tenía cinco años.

Después del divorcio, el aislamiento aumentó. Anhelaba aceptación y aprobación en el colegio, sin embargo, era muy consciente del rechazo y deseaba evitarlo a toda costa. Mi madre, que sostenía la familia, nos dejaba solas durante mucho tiempo. Cuando yo tenía siete años, mi hermana mayor se casó y se fue de casa. Durante este tiempo, mi madre salía con Jorge, el hombre que después se convertiría en mi padrastro. Puedo recordar dos incidentes específicos que eran demostraciones de los aspectos disfuncionales de nuestro hogar. El primero ocurrió un día cuando mi madre dejó a Jorge sacar fotos de todas nosotras desnudas y estiradas encima de su cama. Aunque solamente tenía siete años, sentía vergüenza de estar desnuda en frente de un hombre que apenas conocía. También me acuerdo muy bien que mi madre hizo que nosotras eligiéramos entre Jorge y otro hombre con el que salía. Elegimos a Jorge y se casaron cuando tenía ocho años.

Jorge era absolutamente diferente de mi padre biológico. Jorge mantenía una estricta disciplina, era rígido en su autoridad, y nuestra sumisión era un deber absoluto. Aunque era cristiano y la iglesia donde empezamos a asistir era una iglesia conservadora que creía en la Biblia, él era intolerante e inflexible. Durante el primer año o dos de su matrimonio, Jorge se cogió la responsabilidad de darnos las duchas. Mi madre animaba esta actividad y fue el comienzo de unas sutiles insinuaciones sexuales. Mi padrastro y mi madre empezaron a presionarnos para dejar de ver a nuestro padre biológico. Lo degradaron y nos castigaron emocionalmente cuando expresábamos un deseo de verlo. Debido a esta presión, decidimos no verlo más. Esto ilustra el aislamiento que es tan común en los hogares incestuosos. La familia se aísla y se convierte en un sistema cerrado que tiene poca interacción con el ambiente exterior. La lealtad a la familia inmediata se vuelve el lema y la meta, y debe ser mantenida a toda costa. Los investigadores están encontrando que este concepto de un sistema cerrado está comprobado en muchos estudios de hogares incestuosos.

Mientras asistíamos a nuestra iglesia, empecé a sentirme amada y aceptada por primera vez en mi vida. Oí de Jesús que me amó tanto y que murió por mí. Durante el culto de una tarde, pasé adelante y pedí a Cristo entrar en mi vida. Esto me cambió la vida. Tres semanas más tarde, mi madre y mi hermana asistían una merienda para madres e hijas en la iglesia y dejaron a mi hermano pequeño (un bebé) y a mí en casa con Jorge. Yo ya había ido a dormir cuando mi padrastro me llamó a la sala de estar y me dijo que podía sentarme en el sofá con él y ver la televisión. Mientras veíamos la televisión, se bajó la cremallera de sus pantalones y me dijo que me estirara entre sus piernas y le frotara. Parecía durar una eternidad. Entonces me hizo acostarme encima de él e hizo los movimientos del acto sexual, pero como tenía mis bragas puestas, no consiguió la penetración. Me encontraba insensible mientras me mandaba otra vez a la cama, avisándome de que no contara nada a mi madre porque ella estaría muy enfadada conmigo.

Sola en mi habitación fría y oscura, sentía temor, confusión y culpabilidad. Experimenté contracciones vaginales y me asusté. Inmediatamente me sentí culpable, asumiendo que, como mi cuerpo había respondido, yo era responsable por lo que había ocurrido. No fue hasta años más tarde que me di cuenta de que Dios me había hecho un ser fisiológico normal y completo. Me había diseñado de manera que respondiera, pero que Su diseño para aquella respuesta sólo era dentro de los límites del matrimonio. Mi padrastro había activado mi sistema de reacción dado por Dios, pero fuera del contexto y tiempo de Dios. La culpabilidad que sentí cuando ocurrió era una culpabilidad falsa, pero aun así, me causó muchas dificultades más tarde en mi vida y en mi matrimonio.

Más o menos un mes después del abuso, mi madre vino y me preguntó si Jorge me había tocado alguna vez. Dije que sí y describí lo que había ocurrido. No me hizo ninguna otra pregunta y nunca volví a oír del asunto. No lo sabía entonces, pero Jorge estaba de continuo abusando sexualmente de mi hermana mayor, Kathy. Kathy fue a mi madre, pero no se lo creyó. Sin embargo, esto llevó a mi madre a hacerme preguntas.

Aunque nunca hubo otro abuso importante, sí hubieron ocasiones en que me tocaba y me besaba de manera inapropiada. Mis padres me hicieron verles tener relaciones sexuales como parte de mi educación sexual, y nunca me permitieron tener ninguna intimidad propia. Aunque estas cosas me molestaban mucho, el incidente a los diez años parecía tener el efecto más devastador. Muchas veces las mujeres menosprecian sus experiencias diciendo: «Pues no era tan malo.» Sin embargo, he encontrado por experiencia personal y por mi trabajo con cientos de víctimas, que incluso el incidente más pequeño puede llevar consigo un efecto profundo que cambia la vida. Por supuesto, el espacio de tiempo que dura una relación incestuosa y la amplitud de ella afectarán el grado de la devastación.

Pasé por algunas etapas difíciles durante aquellos tiempos ya que mi madre sufrió una lesión que la mantuvo hospitalizada durante bastante tiempo. Uno de mis recuerdos más terribles tenía que ver con el año que mi madre estaba yendo y viniendo del hospital. Un viernes por la tarde, mi padrastro nos llevó a mi hermana y a mí a ver una película titulada «Cómo asesinar a tu esposa», protagonizada por Jack Lemmon. Si has visto la película, sabrás que es una comedia tremendamente divertida. Pero yo estaba petrificada allí en la butaca, convencida de que Jorge había ido solamente para ver cómo podría asesinar a mi madre. Me dormí aquella noche con el temor de que tendría que vivir con mi padrastro el resto de mi vida.

A muchas, este temor puede parecer poco realista pero, para una niña de diez años, era muy real. Muchas veces perjudicamos a las víctimas, menospreciando o intelectualizando sus experiencias, olvidando que los temores, confusiones y dudas de los niños pequeños son muy reales. Los niños no tienen los mecanismos de defensa tan sofisticados que los adultos creamos. Las emociones de los niños aún son inmaduras. Como veremos en el siguiente capítulo, es importante que la víctima descubra sus emociones infantiles en vías a una recuperación sana.

Durante los últimos años de la escuela primaria y de la adolescencia, tuve dramáticos cambios de personalidad. De una líder extrovertida, me convertí en una chica introvertida. En aquel momento no atribuí ninguno de los cambios a mi experiencia. De hecho, suprimí el abuso durante diecisiete años. Esto no es decir que no afectaba a mi vida diaria. ¡Sí la afectaba! Simplemente no era consciente del impacto que tenía.

En el instituto estaba involucrada en muchas actividades y tuve éxito en mis estudios. Dios me bendijo durante aquel tiempo, porque conocí a un chico joven cristiano que venía de una familia unida y empezamos a salir juntos. A través de este joven, conocí a Fred y Florence Littauer. Su hija Lauren se convirtió en mi mejor amiga y pasamos muchas horas en su casa. Era la primera vez que había visto el cristianismo vivido siete días a la semana y veinticuatro horas al día. Fred y Florence me trataron como a su propia hija y era allí donde recibí instrucción bíblica, consejo y disciplina con amor cuando lo necesitaba.

Durante los últimos años de mi adolescencia me involucré en una serie de relaciones desdichadas y fui rebelde a mis padres. Sin embargo, ahora que miro hacia atrás, soy capaz de ver que mucho de mi comportamiento procedía de mis experiencias de pequeña, incluso respecto a la profesión que elegí. Siempre había tenido el deseo de trabajar con jóvenes con problemas.

Después de graduarme de la universidad con un diploma en psicología, empecé a trabajar para el departamento de libertad provisional como consejera en el tribunal tutelar de menores. Trabajé dos años con niños y jóvenes forzados, abandonados y delincuentes, desde recién nacidos hasta los dieciocho años. Pasé los cinco años siguientes como oficial del departamento de libertad provisional, trabajando con delincuentes jóvenes y adultos. Me hubiera gustado saber entonces lo que sé ahora. Algunas investigaciones indican que hasta nueve de cada diez chicas en las instituciones para delincuentes menores de edad han sido forzadas sexualmente de pequeñas. Fue durante esta experiencia en el tribunal tutelar de menores, a la edad de veintiún años, que me enteré que mi padrastro había cometido un delito delante de la ley.

Cuando tenía más de veinte años, volví a comprometer mi vida a Cristo y pedí al Señor que me ayudara a perdonar a mi padrastro por lo que había hecho. En ese momento pensé que lo había resuelto, pero no era hasta después de casarme que el Señor me mostró que aquellas heridas nunca se habían curado. Luché con muchos asuntos, incluso por qué me era necesario desenterrar todo el dolor de mi pasado. Busqué las respuestas en las Escrituras.

Me acordé del encuentro de Jesús con la mujer samaritana en el pozo, en Juan 4. En el versículo 16 Jesús se concentra en el asunto presente en la vida de esta mujer. Le dice: «Ve, llama a tu marido, y ven acá.» Su respuesta inmediata fue: «No tengo marido» (v. 17). Jesús respondió: «Bien has dicho: No tengo marido; porque has tenido cinco maridos, y el que tienes ahora no es marido tuyo, en esto has dicho la verdad» (v. 17). Después, en los versículos 28 y 29, leemos que la mujer dejó su cántaro, entró en la ciudad y dijo a la gente: «Venid, ved a un hombre que me ha dicho todo cuanto he hecho.»

Jesús usó *el contar* como un medio de dirigirse a los asuntos pasados y presentes en la vida de esa mujer necesitada. Quizás esta conversación era más larga que lo que está registrado en las Escrituras. Supongo que Jesús pasó una gran cantidad de tiempo con la mujer contando eventos del pasado que contribuyeron a su situación aquel día. No hay manera de saber cuánto hablaron, pero sí sabemos que la mujer estaba tan impresionada con todo lo que Jesús dijo que, a través de su experiencia, ella y muchos otros llegaron a conocerle como el Mesías.

Contar el incidente no es ninguna cura mágica. Es un paso vital en el proceso, que permite a la víctima coger ánimo y da sustancia a unas emociones antes confusas e inexploradas. Contar no solamente ayuda a la víctima a conseguir una perspectiva sobre su pasado, sino también le posibilita encarar asuntos presentes.

Como hemos visto, contar la experiencia es de valor para la víctima. Tiene una base bíblica y es el ímpetu para el cambio en el futuro. También es un paso doloroso porque es la llave a las emociones profundas e intensas que hacen presa de la víctima durante su vida adulta. A causa de este encarcelamiento, es necesario sacar los sentimientos a la superficie, experimentarlos y, al final, soltarlos. Examinaremos este paso completamente en el capítulo siguiente.

PENSAMIENTOS PRÁCTICOS

1. Escribe en detalle al menos un incidente que incluye algún daño profundo que experimentaste durante tu niñez. De las siguientes respuestas, ¿qué reacciones tuviste a aquel daño?

   Actué como si no estuviera dañada _____
   Lloré _____
   Me sentí rechazada/avergonzada _____
   Me enfadé _____
   Me retiré emocionalmente _____
   Lo conté a alguien _____
   Me sentí responsable _____
   Tuve otra reacción _____

   Mientras piensas sobre ti misma, ¿qué similitudes encuentras entre cómo hacías frente al dolor en el pasado y cómo lo haces ahora?
2. Lee Nehemías 2:11-18. Mientras empiezas a evaluar las pérdidas en tu vida, como hizo Nehemías, estarás mejor equipada para reconstruir tu vida de manera inteligente.
3. Memoriza Isaías 41:10.

Capítulo 4

Paso III. EXPERIMENTAR LOS SENTIMIENTOS

Coleen vino a nuestro grupo de apoyo después de oírme hablar en un almuerzo en la iglesia. Anteriormente habíamos hablado por teléfono algunas veces sobre las metas y los beneficios de grupos de este tipo para víctimas. Durante aquellas conversaciones ella había comentado: «He resuelto la mayor parte de lo que has mencionado, pero todavía me gustaría ser parte de un futuro grupo tuyo.» Ya que no sentía que ella tenía el nivel de resolución que pretendía tener, la animé a juntarse con nosotras.

Mientras Coleen y otras cinco mujeres se presentaron mutuamente, me di cuenta de la manera indecisa de hablar que tenía Coleen. En ninguna manera era incoherente, pero se repetía y parecía tener una incesante necesidad de hablar. Aparentemente ella había resuelto algunos asuntos respecto a ser forzada sexualmente, pero yo sentía que ella estaba procurando cubrir inconscientemente un depósito oculto de emoción. Después de cuatro o cinco semanas en el grupo, Coleen anunció que ya estaba lista para confrontar a sus padres. Consideramos sus razones para hacerlo y cada miembro del grupo le comentó sus reacciones en cuanto a su plan. Sentí que ella simplemente no estaba preparada para esta confrontación y con delicadeza, se lo expresé. Le dije que no creía que realmente había *experimentado* las emociones profundas que había sentido de pequeña y que este paso era imprescindible en el proceso de recuperación. Sugerí que esperara al menos una semana y que las dos oráramos sobre su decisión.

Cuando entré en el grupo el siguiente martes, Coleen estaba hundida en un asiento con su cara escondida en sus manos, sollozando sin control. «¿Qué te pasa?», le pregunté mientras puse mis brazos sobre sus hombros.

«No he parado de llorar durante cinco días. No puedo creer lo que me ha hecho la peluquera. ¡Me ha traicionado y estoy muy enfadada!» Entre sollozos, Coleen contó al grupo como había acudido a una peluquería en concreto porque una amiga se la había recomendado. Llevó una foto del corte que quería y la mostró a la peluquera. Coleen dijo: «Estaba horrorizada cuando vi lo que me había hecho. Despreció por completo mi petición y cortó muchísimo más. Volví a casa llorando y mientras me tocaba la parte del pelo detrás de mi cabeza, me enfadé aún más. No podía parar de llorar y mi marido no podía entender por qué era tan importante para mí. Mientras me miraba en el espejo en casa, comprendí el porqué. Mi pelo estaba igual que lo tenía a los trece años, el año en que mi padre abusó de mí sexualmente. El sentimiento de traición que sentía hacia la peluquera me recordó los sentimientos que tenía hacia mi padre. Ha pasado casi una semana desde que me corté el pelo y nunca he estado tan fuera de control de mis emociones. ¿Qué puedo hacer para parar de llorar?»

Respondí con compasión: «Coleen, estás lamentando una pérdida, una pérdida que tu niña interior nunca tuvo oportunidad de lamentar. Has llevado aquellas emociones profundas durante todos estos años y Dios está usando esta experiencia ahora para que puedas descubrir tu dolor. No lo apagues. Suelta aquellos sentimientos. No estoy segura de cuánto tiempo requerirá, pero te prometo que no va a ser para siempre.»

Coleen se fue aquella noche con esperanza, aun en medio de su dolor. Lloró otra semana más, pero más tarde contó que la experiencia fue el momento decisivo en su recuperación. Desde entonces, ha confrontado a sus padres y una recuperación se está llevando a cabo en su familia.

Experimentar los sentimientos es importante para cualquiera que ha sufrido un trauma emocional. Desafortunadamente, la comunidad cristiana muchas veces nos aconseja ignorar, encubrir o poner al lado nuestros sentimientos. Esto puede ser estúpido, ya que de todas maneras, nuestros sentimientos saldrán sutilmente, y de maneras que pueden ser destructivas.

Una amiga que llamaré Denise encontró que esto era verdad en su situación. Había estado casada durante tres años cuando se enteró de que su marido estaba teniendo una aventura. Algunos cristianos, con buenas intenciones, le dijeron que lo «espiritual» era perdonar a su marido y seguir como si no hubiera ocurrido nada. De verdad Denise intentó hacerlo, pero pronto se dio cuenta de que sospechaba si su marido venía a casa tarde de la oficina. Muchas veces miraba sus bolsillos con la excusa de prepararlos para la lavadora. Lo miraba con un ojo crítico cuando estaba con otras mujeres. Después de que Denise me viniera, la animé a identificar y experimentar los sentimientos originales de traición e ira que había sentido sobre la infidelidad de su marido, e incluso a compartir aquellos sentimientos con él. No era un evento aislado, sino algo que trabajaron durante meses. Denise está convencida ahora, cinco años después, de que éste era un paso imprescindible para la salud de su matrimonio. Dice: «Si no hubiera afrontado y trabajado a fondo aquellos intensos sentimientos, sé que no estaríamos juntos hoy. Porque he resuelto aquellas emociones, ya no entran sutilmente en la forma de sospechas y desconfianza y se ha restaurado el amor por mi marido.»

¿Son importantes los sentimientos?

Algunas de vosotras podéis estar preguntándoos: «¿Cómo puedo empezar a experimentar mis sentimientos?» Como he declarado en el capítulo anterior, el primer paso es encontrar a la persona apropiada con la cual compartir tus sentimientos. A veces las víctimas piensan que si empiezan a descubrir aquellas emociones profundas, acabarán volviéndose locas. Esto raramente ocurre, pero es beneficioso tener la experiencia de un terapeuta especializado cuando se enfrentan con emociones intensas. Recomiendo que las víctimas obtengan algunas referencias de consejeros cristianos de una buena iglesia en su ciudad. Entonces sugiero que se pongan en contacto por teléfono con algunos terapeutas y específicamente les pregunten sobre su experiencia en el área del abuso sexual. Generalmente se puede decir que aquellos que son líderes de grupos de terapia para víctimas son especialistas. Entonces animo a las víctimas a ir al consejero con el que se sientan más cómoda.

Después de que una víctima haya encontrado un terapeuta con experiencia, tiene que «volver a vivir» al menos un incidente del pasado y procurar expresar los sentimientos que sentía de pequeña. Esto puede requerir un período de tiempo. Si tú, como víctima, tienes dificultad en sentir cualquier emoción, puede ser de ayuda buscar algunas fotos viejas y dibujar el plano de la casa donde vivías en el momento del abuso. Llévalos a la reunión con el terapeuta como un catalizador para disparar algunos de aquellos sentimientos perdidos.

Te recomiendo no hacer esto por ti misma. Éstas son técnicas terapéuticas que se implementan mejor bajo la supervisión y dirección de un profesional. Si la expresión verbal de estos sentimientos es particularmente difícil, un paso preliminar que puede ser útil sería escribirlos en papel. En medio de mi consejería, encontré que escribir en casa era muy terapéutico para mí y a veces leía en voz alta lo que había escrito. Para las víctimas, frecuentemente es difícil expresar sentimientos que nunca han sabido identificar. Escribir sobre las experiencias y sentimientos del presente te facilitará identificar y nombrar los sentimientos del pasado. Esta técnica puede ser de ayuda para cualquiera que ha sufrido un trauma emocional. Tener la capacidad de expresar y afrontar nuestros sentimientos puede liberarnos de la esclavitud que frecuentemente ocurre cuando mantenemos las cosas dentro.

En su libro *Understanding Your Past – the Key to Your Future* (Entender tu pasado, la clave para tu futuro), el Dr. Cecil Osborne escribe: «Los sentimientos no envejecen. Los sentimientos sobre los eventos pasados están con nosotros ahora... El tiempo no disminuye los traumas de la niñez... No se erosionan ni desaparecen.»[1] Esto lo he visto confirmado vez tras vez en las vidas de las mujeres que no tuvieron oportunidades de soltar la emoción justificada en el momento que sufrieron un trauma.

Nuestro niño interior

El concepto del «niño interior» puede requerir alguna explicación ahora. Creo que todos nosotros tenemos dentro un niño interior que representa una parte significativa de quienes somos como adultos. Si nosotros, de pequeños, experimentamos eventos que en alguna manera traumatizaron nuestras emociones, y aquellos asuntos y sentimientos no se han resuelto, los llevamos a nuestra vida de adulto. En su libro *Your Inner Child of the Past* (Tu niño interior del pasado), W. H. Missildine declara: «Tienes que aprender a reconocer tus sentimientos y tus anhelos infantiles como importantes, que merecen respeto, y aprender a separarlos de tus sentimientos como adulto.»[2] Si continuamos llevando aquellos sentimientos como adultos, muchas veces experimentaremos frustración, ansiedad y desesperación. He usado el ejemplo de un depósito. Si lo llevamos con nosotras, con el tiempo esa presa de emoción se llena y rebosa, muchas veces de una manera incontrolable. Podemos deliberadamente empezar a abrir una compuerta de sentimientos, soltando algo de la emoción y disminuyendo el peligro de un derrame imposible de controlar.

Cuando comparto este concepto del niño interior con mujeres, muchas veces es aparente que, de pequeña, sus necesidades de amor y cariño sano no fueron satisfechas. Por supuesto, esto ocurre en hogares que no son incestuosos. Desafortunadamente, es un fenómeno extendido. Muchos niños se hacen mayores sólo para ser adultos necesitados en busca de un amor que nunca conocieron de pequeños. Esto es trágico, porque parece que se transmite de generación en generación. No es ninguna maravilla que estemos enfrentados con una epidemia de suicidios de adolescentes en este país. Los niños necesitan sentir amor sano. Me hizo llorar escuchar una canción escrita por Steve y Annie Chapman titulada: *Papá, Tú eres el hombre de los sueños de tu niña.* La letra parece ser muy apropiada para aquellas de nosotras que no tuvimos un amor sano:

> Papá, tú eres el hombre de los sueños de tu niña,
> tú eres aquel que ella anhela agradar.

Y hay un lugar en su corazón
que sólo se puede llenar
con el amor de su papá.
Pero si tú no le das el amor que desea,
ella lo intentará con otra persona,
pero no le va a satisfacer.
Y si tu hija pequeña crece sin el amor de su papá,
puede sentirse vacía y solamente es porque
es el amor de su papá lo que está buscando,
no la mandes a la puerta de otro hombre.
Nadie más puede hacer lo que tú haces,
solamente necesita el amor de su papá.
Y algún día si oyes que ha perdido su pureza,
quizá la ha perdido intentando encontrar
el que faltaba en casa.
Simplemente deja al Padre Celestial
curar donde has fracasado,
Puede perdonarte y ayudarte a darle
el amor de su papá que está buscando,
no la mandes a la puerta de otro hombre.
Nadie más puede hacer lo que tú haces,
solamente necesita el amor de su papá.
Sabes que es verdad,
solamente necesita el amor de su papá.

«Her Daddy's Love». Letra y música de Steve y Annie Chapman. Copyright 1983 Dawn Treader Music. Usado con el permiso de Gaither Copyright Management. Todos los derechos reservados.

Los papás en todo lugar se deberían dar cuenta de la necesidad en el corazón de su hija pequeña por ese amor *sano*. Es importante notar que nuestra niña interior no ha de sufrir para siempre. Podemos aprender cómo cuidar el niño dentro de nosotros a través del amor sanador de Dios. Hablaré sobre este concepto más adelante en un capítulo posterior.

Descubrí la importancia de soltar las emociones de la niña interior durante mi terapia. Aunque mi terapeuta y yo no habíamos hablado sobre este concepto, me acuerdo de que fue un hito importante en medio del proceso de mi terapia. Una noche fui a la cama con mucho en mi mente, turbada con mucha emoción, intentando filtrar mis pensamientos y sentimientos, y orando, pidiendo al Señor ayuda para superar el dolor que sentía. Mientras estaba estirada en la cama aquella noche, empecé a sollozar sin control. En una voz como de niña, casi imperceptible, clamé: «Déjame sola. Sólo tengo diez años. Por favor… no entiendo.» Repetí esto algunas veces y sentí una inundación de emoción soltarse. Parecía que lloraba durante horas. No me di cuenta de lo significativo que era esto hasta que volví a terapia la semana siguiente y adquirí mayor entendimiento del dolor que había sentido de niña. Aquella liberación de emoción parecía desbloquear áreas que habían estado sujetas. Siempre había tenido problemas expresando y recibiendo amor de mi marido. Me di cuenta de que después de esta experiencia, fui más capaz de ser consciente de mis propios sentimientos y que tenía una mejor capacidad de expresarlos a Don.

Esta área de experimentar los sentimientos es muy importante en el proceso de la curación. Incluye experimentar los sentimientos del pasado y del presente y es imprescindible para la víctima que ha suprimido su emoción. Ha aprendido a hacer esto como un medio para sobrevivir. La supresión ocurre principalmente como resultado de afrontar intenso dolor. La niña adopta esta técnica como una manera de hacer frente emocionalmente. Por desgracia, esta mujer lleva esta pauta consigo al estado de adulto y puede afectar severamente sus relaciones. Estas mujeres a menudo están negando la realidad. Muchas veces es necesario enseñarles cómo identificar sus emociones en el presente antes de que puedan descubrir los sentimientos del pasado y de su niña interior.

Luci era un perfecto ejemplo de esto. Describía en detalle cómo alguien en la iglesia la había maltratado y mientras hablaba, había «fuego» en su ojos. Comenté que parecía que ella estaba realmente enfadada con lo que había hecho esta persona. Rápidamente me corrigió y dijo: «No, no, Jan. No me molesta en absoluto.» Luci tuvo que empezar a reconocer su manera de negar sus emociones para hacer frente a la vida y aprender a permitirse expresar emoción en el presente antes de que pudiera enfrentarse con asuntos del pasado.

Otra mujer, Bonnie, ilustró este corte de emoción de una manera diferente. Era una mujer enfadada que frecuentemente chillaba y maldecía sobre eventos del presente y sobre el abuso que había sufrido de pequeña en manos de su padre. Una tarde nuestro grupo de apoyo habló sobre la necesidad de dejar salir la ira, confusión y temor sentidos en la niñez para poder soltarlos. Bonnie saltó y dijo: «No tengo ningún problema con esto. De hecho, estoy cansada de estar siempre enfadada. He estado enfadada desde que me puedo acordar y está interponiéndose en mi vida.»

Miré a Bonnie y dije: «Bonnie, hay toda una faceta de tu niña interior que nunca has conocido. Es la niña vulnerable y temerosa que está en necesidad de amor y cuidado. Siento que tu intensa ira es una tapadera para evitar aquel temor profundo vulnerable que sentiste hace tanto tiempo.» Bonnie empezó a llorar; entonces preguntó: «¿No hay otra manera? No quiero volver por aquel camino de temor y dolor. Haría cualquier cosa para evitarlo.»

La verdad nos hará libres

A aquellas de vosotras que os estáis formulando aquella misma pregunta, la respuesta es que no, al menos a un nivel humano, no hay otra manera. Jamás me gustaría limitar a Dios y Su poder para ayudarnos, pero he encontrado que, fuera de Su intervención, evitar aquellos sentimientos solamente intensifica su impacto y esclavitud.

Jesús dijo en Juan 8:32: «Conoceréis la verdad, y la verdad os hará libres.» La verdad es frecuentemente dolorosa, pero es en encontrar, afrontar y sentir la verdad que podemos empezar a reconstruir nuestras vidas. Jesús dijo en Juan 16:33: «En el mundo tendréis aflicción; pero tened ánimo, yo he vencido al mundo.»

Como hemos hablado en el capítulo anterior, Nehemías lamentó la pérdida en Jerusalén. Su lamentación se convirtió en un requisito previo y la fuerza motivadora tras su determinación a reedificar el muro. Yendo de puerta en puerta, inspeccionó cuidadosamente la destrucción y examinó la extensión de los daños. Como víctimas, también hemos de examinar atentamente la pérdida que resulta de un trauma. Pero nuestro enfoque no debe quedarse allí. Hemos de evaluar los daños para poder planear sabiamente hacia la futura restauración. Debemos mirar cuidadosamente las pérdidas y sentimientos que experimentamos en los traumas de la niñez para poder reunir el material necesario para empezar un programa de reconstrucción.

Uno de mis versículos bíblicos favoritos, que frecuentemente oro por mí misma y animo a otras víctimas a orar, es el Salmo 51:6: «Pero, tú amas la verdad en lo íntimo, y en lo secreto me has hecho comprender sabiduría.» Dios conoce nuestras partes íntimas y desea que afrontemos la verdad. No es sano fingir que aquellos eventos no ocurrieron, ni negar la devastación que han causado. Me animo cuando las mujeres empiezan a afrontar los traumas de su pasado. En el Salmo 44:21 leemos: «¿No demandaría Dios esto? Porque él conoce los secretos del corazón.» ¿Estás luchando con algunos de estos sentimientos secretos? ¿Estás dudando de si explorarlos más o no? ¿O te sientes culpable sobre tu incapacidad de resolver esto por ti misma? Entonces, ¡sigue leyendo! El próximo paso es establecer la responsabilidad que empezará a abrir tu «puerta de esperanza».

PENSAMIENTOS PRÁCTICOS

1. Vuelve a pensar en el incidente que describiste en detalle al final del capítulo anterior. Mientras meditas sobre tus *sentimientos* en el momento del incidente, ¿cuáles te acuerdas de sentir? (Las personas frecuentemente tienen más de un sentimiento al mismo tiempo y a veces estos sentimientos parecen opuestos, por ejemplo, amor/odio.)

   Avergonzada _____
   Vergüenza _____
   Ira _____
   Resentimiento _____
   Rechazo _____
   Amor _____
   Confusión _____
   Tristeza _____
   Odio _____
   Felicidad _____
   Calor humano _____
   Temor _____
   Frustración _____
   Timidez _____
   Aprobación _____
   Culpabilidad _____

2. Lee Isaías 53:2-5. Jesús conocía la aflicción y la tristeza. Entiende la profundidad de tu emoción y te acepta completamente.
3. Memoriza Hebreos 4:15.

Capítulo 5

Paso IV. ESTABLECER LA RESPONSABILIDAD

En su libro *Love must be tough* (El amor debe ser fuerte), el Dr. James Dobson escribe: «Si hay algo que un adúltero no necesita, es una pareja cargada de culpa que entiende su imprudencia y asume la culpa por ella. Es necesario llamar a tal persona a la responsabilidad, no excusarla racionalizando.»[1] Permíteme cambiar dos palabras en aquella cita corta: «Si hay algo que un *agresor* no necesita, es una *víctima* cargada de culpa que entiende su imprudencia y asume la culpa por ella. Es necesario llamar a tal persona a la responsabilidad, no excusarla racionalizando.» Reconocer la necesidad de esta responsabilidad personal, o sea, establecer la responsabilidad, es un paso crucial para superar los síntomas asociados con el abuso sexual.

Una de las principales dificultades que una víctima tiene al llamar al agresor a la responsabilidad es que se considera culpable como participante junto con él en el acto incestuoso. Como hemos hablado en el capítulo 1, la víctima tiende a asumir en sí misma algo de la responsabilidad por el abuso sexual.

La historia de Paula

Nunca podré olvidar a Paula, una joven mujer en mi grupo de apoyo. El padre natural de Paula murió de cáncer cuando ella tenía nueve años. Paula describe la gran pérdida que sintió. «Estábamos muy unidos y siempre hicimos muchas cosas divertidas juntos. Mi madre y yo nunca estuvimos tan unidas como mi padre y yo. Cuando él murió, era como si hubiera perdido a mi mejor amigo. Me acuerdo que lloré sin parar durante meses.»

A causa de sus problemas económicos, su madre mandó a Paula a vivir con sus tíos después de que murió su padre. Su tío empezó a llevarla a sitios para intentar llenar el vacío que su padre había dejado. Paula se acuerda de subir al regazo de su tío antes de ir a la cama cada noche. Dice: «Entonces, algo cambió. Una tarde mi tío me pidió que subiera a su regazo como siempre. Mientras me sentaba allí, sentí su mano empezar a entrar en los pantalones de mi pijama. Estaba muy asustada, pero me aseguró que yo era su niña preferida y simplemente quería mostrarme cuánto me amaba. Me dijo que mi tía no lo entendería y que me mandaría fuera si llegaba a decírselo. Nunca se lo conté. Ahora estoy muy avergonzada. Si no hubiera necesitado tanto cariño de pequeña, no hubiera subido a su regazo, y nunca hubiera ocurrido.»

Paula había hecho algunas suposiciones erróneas. Primero, asumió que su necesidad de cariño había incitado las acciones de su tío. Segundo, había asumido que el incidente se hubiera evitado si no hubiera subido al regazo de su tío. Las dos suposiciones asumían que Paula era responsable por las acciones de su tío.

Permíteme hacer una declaración muy atrevida pero verdadera. Una víctima infantil es cien por cien libre de cualquier responsabilidad. *El agresor siempre es completamente responsable.* Muchas veces nos ha engañado la sociedad para pensar que la «niña seductora» simplemente está recibiendo lo que ha pedido. Esto es falso. No creo que hay tal tipo de niña andando por ahí, pero aun si lo hubiera, el adulto todavía tiene total responsabilidad por su conducta. Mi experiencia me ha enseñado que una niña que actúa de una manera sexualmente precoz por lo general ya ha sido forzada sexualmente. Una víctima de abuso sexual de pequeña sufre por tener su sistema de despertar sexual activado antes de hora. Esto causa confusión, mal entendimiento y un desequilibrio de la identidad sexual en la niña. Se encuentra obligada a enfrentarse con emociones y respuestas fisiológicas que Dios no ha querido que experimente hasta los años de la pubertad. No es ninguna maravilla que las víctimas sufran dificultades en años posteriores.

Para Paula, era necesario volver en el tiempo y mirar a la niña de dentro. Nunca se había enfrentado a la enorme pérdida que sufrió con la muerte de su padre, y nunca había tenido una oportunidad de expresar la ira que resultó de sentirse abandonada y traicionada cuando murió. Entonces su tío cometió la máxima traición. Se aprovechó de la relación de confianza que había creado y robó a Paula su dignidad, respeto y derecho a recibir un amor apropiado. A la luz de esos eventos traumáticos, su personalidad a los nueve años le dijo que debía haber algo terriblemente malo en ella para que estos dos hombres importantes en su vida la traicionaran.

Aconsejamos a Paula bastante, permitiendo que ella se enfrentara con sus emociones. Finalmente, llegó al punto donde podía liberarse de la responsabilidad y llevar a su tío a la responsabilidad personal. Era importante ayudar a Paula a ver que no había nada que hubiera podido hacer para evitar las acciones del agresor.

Muchas víctimas buscan cualquier salida para poder absolver a su agresor de su responsabilidad. Hay un momento en que la compasión y la comprensión llegan a ser una parte de la resolución total para la víctima, pero, en estas primeras etapas, la víctima no debe racionalizar para quitar la responsabilidad del ofensor.

Temor de pérdida

Otra razón por la que una víctima tiene dificultad en establecer la responsabilidad es su temor a perder valiosas relaciones. Algunas víctimas no tienen ningún deseo de mantener una relación con aquel que las ha ofendido. Sin embargo, otras sienten la presión de mantener una relación debida a asuntos de lealtad en la familia. Esto muchas veces impide que la víctima establezca la responsabilidad debida.

Este apuro se ilustra en la vida de una joven llamada Rut. Pedro, su hermano mayor, había abusado sexualmente de ella desde los cinco años hasta los doce. También había sufrido abuso físico cometido por él. Su padre era alcohólico y su madre tenía dos trabajos para sostener a la familia. Su madre venía a casa y alababa a Pedro por «ser tan responsable», cuidando de su hermana pequeña. Su madre entonces se giraba hacia Rut y decía: «Tu hermano es un buen chico. Ahora Rut, asegúrate de obedecer a tu hermano como una buena chica.» Rut se sentía impotente. Mientras pasaban los años, su madre nunca veía el dolor que era evidente en los ojos de Rut. Simplemente seguía dando alabanzas a Pedro. Como Rut me dijo una vez: «Nunca pude decir a mi madre lo que él hacía. Nunca me hubiera creído, y si me hubiera creído, hubiera deshecho a mi familia. Sé que mi madre no lo hubiera podido aguantar.»

Desafortunadamente, las víctimas muchas veces se encuentran entre la espada y la pared. Se sienten culpables por no contarlo a sus padres, profesores o alguien con autoridad. Sin embargo, no pueden contarlo porque desharía la unidad familiar y se sentirían culpables de esto. Con frecuencia, llevan estos sentimientos a su vida de adulto donde juegan un papel importante en el proceso de recuperación.

Contribuyentes

Es importante en este momento hablar sobre otras personas responsables. Me refiero a cualquiera (además del agresor) que no es un participante directo pero quizás tiene un conocimiento del abuso sexual, o ve signos de tal. Esa persona es un contribuyente.

Es difícil establecer la responsabilidad de otros miembros sin conocer cada caso en particular. No quiero juzgar a cualquiera que pueda estar luchando con estas cosas. Sin embargo, es importante considerar en oración el asunto de la responsabilidad, no con el propósito de culpar, sino para establecer la responsabilidad correctamente.

En la mayoría de los casos de incesto entre padres e hijas, que también incluye un padrastro o cualquier hombre que está asumiendo el papel paterno en un hogar, la madre comparte una *parte* de la responsabilidad y, por lo tanto, es una contribuyente. *La parte o grado es variable según las circunstancias de cada caso individual.* En mi propia experiencia, mi madre tenía una parte significativa de responsabilidad. Permitió a mi padrastro sacar fotos de nosotras desnudas de pequeñas, incluso antes de que se casaran. Después de su matrimonio, me animó a ducharme con Jorge, porque según ella: «Siempre os lava el pelo muy bien.» Ella modeló una incapacitada que me hizo creer que si ella era incapaz, yo, como niña pequeña, lo era también. Muchas veces mediaba entre mi padrastro y nosotras, lo cual contribuyó al aislamiento entre los miembros de la familia, tan típico en hogares incestuosos.

Hasta que empecé la terapia, era completamente inconsciente de la ira que sentía hacia mi madre. Por temor a perder la única relación maternal valiosa que pensaba que tenía, negaba el papel de mi madre durante años. Vi a mi madre forzada emocionalmente por mi padrastro. Era imposible establecer su responsabilidad hasta que me di cuenta de que ella había hecho elecciones, una revelación dolorosa para mí. Un día durante una sesión de terapia, salté: «Supongo que lo que más me duele es que ella escogió a él por encima de mí, y seguía haciéndolo una y otra vez.»

Cuando fui capaz de reconocer la responsabilidad de mi madre ya no sentía la presión de mantener a la familia junta. Me liberó de esto y me permitió ver mi relación con mi madre con realismo. Aun como adulta, tuve expectaciones de mi madre que no eran realistas. No es que estuvieran más allá de su capacidad de conseguirlas, sino que eran inconsistentes con su conducta en el pasado. Déjame ilustrarlo:

Antes del nacimiento de mi primera hija, pedí a mi madre que viniera y se quedara en casa con nosotros unos días cuando volviéramos del hospital. Todas las madres de mis amigas habrían saltado de alegría con la oportunidad de estar en sus casas durante una semana y tomar responsabilidad por las comidas y limpieza y probar su nuevo papel como abuelas. Cuando se lo pedí a mi madre, hizo una pausa. «Pues, no sé», dijo. «Sabes que tu padre y tu hermano me necesitan aquí para cuidar la casa.» Yo estaba chafada y ella lo sabía. Unos días más tarde me llamó y dijo: «Tu padre está enfadado, pero simplemente le dije que iba a ir a ayudarte cuando viniera el bebé.» Heather nació un sábado y volvimos a casa el lunes por la tarde. Mi madre llegó temprano por la mañana del martes y se quedó hasta el jueves. Yo había esperado durante todo esto que ella iba a quedarse cuatro o cinco días con nosotros. Estaba tan afectada cuando se marchó después de tan sólo dos días que despertó los mismos sentimientos que tenía de pequeña, que las necesidades y deseos de mi padrastro iban por delante de los míos.

En terapia vi cómo mis expectaciones continuamente invitaban al rechazo de mi madre. Empecé a analizar mi relación con ella y me di cuenta de que faltaba un componente imprescindible, una actitud abierta. Nuestra relación se mantenía intacta principalmente debido a mis esfuerzos y mi habilidad para mantenerme dentro de los límites marcados por mi madre. Para nosotras habían dos criterios para mantener una relación armónica. Primero, yo no podía hablar del abuso sexual ni de ninguna injusticia que hubiera sentido de pequeña. Segundo, no podía hablar de mi padre natural. Mientras me mantenía dentro de esos límites, nuestra relación seguía bastante bien. Mi madre a menudo confiaba en mí respecto a la conducta injusta de mi padrastro hacia ella y hacia mi hermano. Pero yo nunca podía compararlo con su trato a mí o sugerir que ella tomara alguna acción. Simplemente tenía que escucharla y sentir compasión de su situación.

La negación de la realidad por la familia

La comprensión de que ella había hecho elecciones en el pasado y que seguía haciéndolas me ayudó a entender que, como adulta, yo también tenía el derecho de hacer elecciones en mi propio nombre. Decidí relacionarme abiertamente con mi madre sin tener en cuenta las consecuencias. Mi primer paso hacia una relación abierta fue compartir con mi madre acerca de las dificultades emocionales que estaba teniendo debido al incesto. Esto me llevó a no tener contacto con mi padrastro durante más o menos un año.

Compartir esto causó una tensión en mi relación con

mi madre, pero ya no estaba negándola. No estaba dispuesta a fingir, incluso con ella, que el abuso sexual nunca había ocurrido. Quizás ayudará ilustrarlo de esta manera:

En muchas familias incestuosas es muy común que todos los miembros se mantengan en una esfera de negación como se muestra en la figura 1. Cada parte sabe lo que ha ocurrido, pero sigue actuando como si no hubiera ocurrido. Si una víctima empieza a afrontar lo que ha ocurrido, quizás va hacia la esfera de la realidad como se muestra en la figura 2. Sin embargo, todos los otros miembros pueden elegir seguir negándolo. En mi caso, yo había cruzado a la esfera de la realidad. Mi padrastro se quedó en la esfera de negar la realidad y mi madre intentó ser un puente entre los dos mundos. Cuando estaba conmigo, estaba obligada a tocar la realidad, pero en casa con mi padrastro, se quedó en la esfera de negar como se muestra en la figura 3. Al final, para que algún tipo de restauración

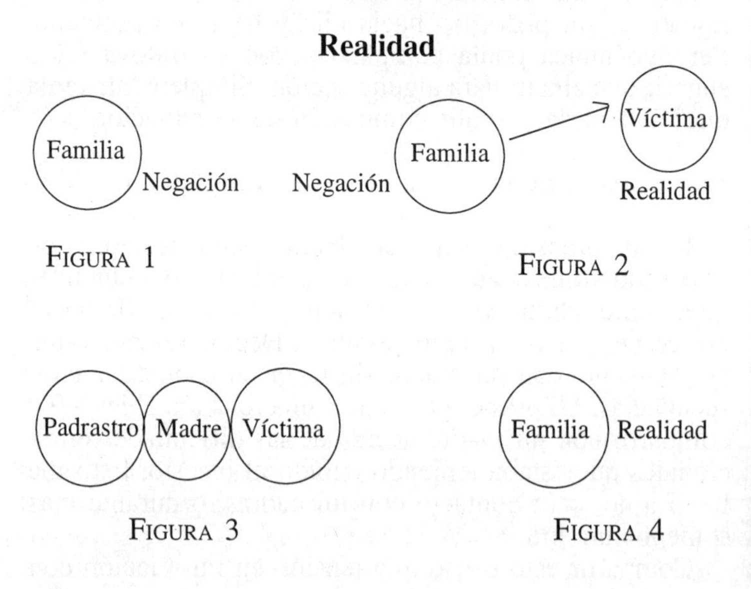

FIGURA 1

FIGURA 2

FIGURA 3

FIGURA 4

ocurra en toda la familia, todos los interesados deben estar dispuestos a trabajar con la esfera de realidad como se ilustra en la figura 4. El paso desde negar a aceptar la realidad se logra a través de una confrontación. De esto se habla en detalle en el capítulo 9. Pero recuerda, la víctima puede experimentar la restauración incluso si todos los otros miembros de familia no están dispuestos a enfrentarse con la realidad.

Otros contribuyentes

Nos hemos centrado principalmente en el papel de la madre como contribuyente. ¿Quién más se podría considerar contribuyente? Muchas mujeres que me han venido han sido forzadas sexualmente por hermanos, tíos y abuelos. Muchos factores contribuyen al inicio de estas relaciones. En casos de incesto por un hermano, generalmente hay una ruptura en el papel de los padres. En estos casos, los padres se convierten en contribuyentes. Con frecuencia, los padres están aislados el uno del otro y de los hijos. Toman poco tiempo para comunicar, observar o conocer a sus hijos como individuos. A menudo encuentran imposible hablar de cualquier cosa de naturaleza sexual. Es un tema tabú en la casa. Otras veces, los padres son excesivamente rígidos y protectores, a veces del tipo religioso que intentan proteger a sus hijos de los males de todo, desde lòs anuncios a los helados. No estoy infiriendo que no necesitamos proteger a nuestros hijos. Sin embargo, en las familias que lo llevan a un extremo, crea un aislamiento de la familia, que tiende a fomentar una atmósfera incestuosa.

Kantor y Lehr (en 1975), investigadores en el tema de la familia, describieron estos tipos de familias como los «sistemas cerrados» que hemos mencionado anteriormente.[2] No están abiertos a relaciones con el mundo exterior. Arlene vino de este tipo de familia. Sus padres eran personas religiosas rígidas y legalistas. Ella tenía cuatro hermanos y dos hermanas y era la chica del medio. Sus padres eran personas rectas que se aseguraron de que sus hijos evitaran la contaminación del sistema escolar, manteniéndolos en casa. Les prohibieron ver la televisión sin permiso de los dos padres, y leer cualquier material que no viniera de la librería religiosa del barrio. Incluso en el instituto, no les permitían a las hijas llevar maquillaje ni hablar de chicos. Los temas sexuales se consideraban sucios y asquerosos. El hermano de Arlene, que tenía unos años más y era el ídolo de sus padres, empezó a abusar sexualmente de ella cuando ésta tenía cuatro años. A causa del ambiente familiar, Arlene no podía arriesgarse a decir nada por temor al castigo y a la incredulidad. Al trabajar con Arlene, fue necesario enfocar no solamente en la responsabilidad de su hermano, sino también en la responsabilidad de sus padres. Sus padres no fueron capaces de reconocer lo que estaba ocurriendo en sus propias narices en el ambiente familiar que habían creado.

No siempre es que los padres u otras personas importantes no sepan lo que ocurre y no actúen. Frecuentemente, los abusos sexuales ocurren porque los padres u otros adultos importantes en su vida no ven las señales de aviso.

Laura, una mujer joven en nuestro grupo de apoyo, se acuerda de rogar a su abuela no dejarla sola con su abuelo. Repetidas veces abusaba sexualmente de ella cuando la abuela se iba de casa. Ya que Laura era muy pequeña cuando empezó, no podía entender por qué su abuela podía seguir ignorando sus obvios gritos pidiendo ayuda.

Es por esta falta de conocimiento que tienen un grado de responsabilidad. (Para señales de aviso en niños, vea la tabla siguiente.) Las víctimas pueden considerar como contribuyentes a varias otras personas, como hermanas, hermanos, tías y amigos de la familia. Y de verdad, pueden tener un grado de responsabilidad dependiendo de cada caso en particular.

Algunas de vosotras tenéis una hija que ha sido forzada sexualmente por una persona fuera de la familia (o quizás has sido forzada de pequeña por un profesor, un amigo de la familia o alguien que te cuidaba). Ya que las niñas en estas situaciones frecuentemente piensan que sus padres deberían saber y deberían haberlos protegido, es importante que tú como madre aceptes una parte de responsabilidad. No es que hayas participado, animado o incluso tenido un conocimiento específico de lo que ha ocurrido. Pero deberías conocer a tu hija lo bastante bien como para poder leer los signos de su conducta y poder tomar medidas para parar el abuso en sus fases preliminares.

Sin embargo, si eres una madre cuya niña ha sido forzada, no dejes que la culpa te venza. Esto también puede ser destructivo. Como madre, reconozco la gran responsabilidad que tengo para con mis dos hijas, y sin embargo, sabiendo tanto como sé, educándolas tan bien como lo he hecho, no hay ninguna garantía de que las pueda proteger del pecado que otra persona decida cometer contra ellas. Cada día estoy más convencida de que Dios hace que *todas* las cosas cooperen para bien «de los que aman a Dios, de los que son llamados conforme a su propósito» (Romanos 8:28). Sinceramente creo que nada ocurre en nuestras vidas o en las vidas de nuestros hijos que nuestro Dios no sea capaz de redimir.

Minimizar tu experiencia

Hemos hablado de cómo la culpabilidad de la víctima en cuanto al incidente y su temor a perder una relación valiosa frecuentemente le impide establecer responsabilidad. Hay otro asunto importante, el intento de la víctima de minimizar el acto o intento del agresor. Al minimizar o negar el incidente, la víctima quita la importancia del evento para liberarse a sí misma y a su agresor. Esto es especialmente común en incesto entre hermanos cuando las edades de los niños son relativamente cercanas. En general, la mayoría de las víctimas forzadas por hermanos mayores menosprecian su experiencia, relegándola a la «exploración» o la «curiosidad.» Creo, como creen muchos expertos en desarrollo del niño, que los experimentos son una parte normal del crecimiento. Es cuando una niña se siente obligada, usada o impotente cuando los experimentos cesan. Cuando la niña ya no tiene elección por causa de la coacción física, psicológica o emocional, los experimentos se han convertido en un acto de abuso sexual.

SIGNOS DE AVISO EN LOS NIÑOS

SÍNTOMAS	*CONDUCTA OBSERVABLE*
1. Temor a ciertas personas o situaciones, o a personas extrañas.	1. El niño verbalmente expresa que no quiere ir «a casa del abuelo» o se pone tímido cuando está alrededor de aquella persona, o alrededor de extraños.
2. Pesadillas.	2. Generalmente tiene sueños de estar en situaciones sin ayuda, por ejemplo, intentar escapar de alguien que lo persigue.
3. Reservado (social o emocional).	3. Se queda solo en su habitación, se aísla, es huraño: «Déjame solo.»
4. Se orina en la cama, cambio de hábitos del sueño.	4. Dice: «Mamá, he tenido un accidente», o: «No puedo dormir.»
5. Cambio de personalidad.	5. Niño extrovertido que era un tipo líder se convierte en uno reservado; cambio en el rendimiento escolar.
6. Pérdida de apetito.	6. «No tengo hambre.»
7. Períodos de lloros no provocados.	7. Estalla en lágrimas cuando el padre o madre sale para recados rutinarios y deja al niño, por ejemplo: «Por favor, mamá, ¡no me dejes solo!»

8. Adhesión a un adulto importante en su vida.	8. Mantiene proximidad cercana, necesita más cariño físico.
9. Excesiva limpieza o baños.	9. Habla de sentirse sucio, se siente sucio.
10. Pobre autoimagen/baja autoestima.	10. Aumenta la cantidad de autoincriminaciones negativas: «Soy malo»; «No puedo hacer nada bien»; etc.
11. Cambios en el tipo de juego imaginativo.	11. Expresa abuso o violencia extrema en el juego.
12. Miedo a estar solo.	12. «Por favor, mamá, quédate conmigo. No apagues la luz.»
13. Se niega a ir al colegio.	13. Expresa desagrado; no quiere ir a ver a los amigos. «Simplemente quiero estar en casa contigo.»
14. Huidas de casa.	14. Se retira a la familia «segura». «No me gusta estar aquí.»
15. Intentos de controlar el ambiente o temor de lo desconocido.	15. Quiere controlar el ambiente excesivamente; a menudo se pone muy ansioso sobre los aspectos desconocidos de la vida. «¿Qué pasa si hay un incendio en casa?», o «Mamá, tengo miedo.»
16. Precocidad sexual a una edad temprana.	16. Practica excesiva masturbación. Usa palabras y gestos sexualmente explícitos, no apropiados para su edad.

Nota: Uno o incluso dos de estos síntomas no son indicativos de un abuso sexual. Una combinación de algunos (cuatro o más) puede indicar un motivo de preocupación por parte de los padres.

Audrey era un ejemplo. Vino a nuestro grupo, sintiéndose fuera de lugar. Me había dicho por teléfono: «Estoy segura de que tengo todos los síntomas que has mencionado, pero simplemente no puedo entender cómo un pequeño incidente con mi hermano podría haber causado todo esto. Éramos sólo niños, y sabes cómo experimentan los niños. ¿Cómo pudo saberlo? Él solamente tenía ocho años y yo cinco. Era un crío.» En terapia, hablamos de cómo el primer incidente a lo mejor era simplemente un experimento de niño, pero mientras Audrey compartía otros incidentes, se descubrió que era más complicado. Finalmente me dijo: «Solamente empezó a molestarme cuando me ató y trajo amigos del colegio. En aquel momento ya me había asustado de verdad y tenía miedo de contarlo a mis padres por temor del castigo.» Establecimos que, en el caso de Audrey, ambos eran víctimas de la incapacidad de sus padres de comunicar y demostrar amor y que, por lo tanto, sus padres tenían una parte de responsabilidad. Esto, en ninguna manera, minimizaba la responsabilidad de su hermano por sus acciones. Simplemente ayudaba a echar luz a las circunstancias que contribuían a la disfunción en el sistema familiar.

Otra vez, permíteme reiterar que la meta de establecer la responsabilidad no es echar la culpa en todas las direcciones para dar a la víctima una «pizarra en blanco». La principal función es poner la responsabilidad donde pertenece. Una vez que la víctima establezca la responsabilidad del agresor y cualquier contribuyente en los incidentes traumáticos en el pasado, puede avanzar para asumir la responsabilidad de una manera realista en su propia vida hoy, sin echar la culpa del presente a los errores y responsabilidades del pasado. Muchas veces las víctimas están muy cargadas, porque erróneamente han asumido la culpa y responsabilidad de otros que son incapaces de asumirlas y que *son* indudablemente suyas. Un reparto justo de la responsabilidad es un componente imprescindible en la futura integridad de la víctima y en la restauración de la familia.

Base bíblica para la responsabilidad

¿Qué, si algo, dicen las Escrituras acerca de la responsabilidad? Encontramos muchas ocasiones en el Antiguo y el Nuevo Testamento acerca de la responsabilidad: David y Betsabé, Ananías y Safira, Nabucodonosor, y la mujer en el pozo. Todas estas personas fueron juzgadas por su pecado en una manera u otra. David recibió el perdón de Dios por adulterio y asesinato, pero todavía tuvo que afrontar las consecuencias de su pecado. Ananías y Safira fueron juzgados por mentir al Espíritu Santo e instantáneamente cayeron muertos. Nabucodonosor experimentó locura temporal por arrogancia y orgullo, pero más tarde, la salud le fue restaurada. Finalmente, la mujer en el pozo fue sacudida a la realidad cuando Jesús la confrontó sobre sus cinco maridos anteriores y su arreglo presente de vida con un hombre que no era su marido.

La historia de Acán en el Antiguo Testamento, encontrada en Josué 7, tiene un gran mensaje particularmente aplicable al tema de establecer la responsabilidad. Josué asumió el liderazgo de los israelitas en el momento de la muerte de Moisés. En el primer capítulo de Josué, recibió el mandato de «ser fuerte y valiente» y de salir y poseer la tierra que Dios había prometido a su pueblo. En los capítulos 2 y 3, vemos las maneras milagrosas en que Dios fue delante de Su pueblo, preservando a los dos espías y dividiendo el río Jordán. En el capítulo 4, Dios llamó a la nación a hacer memoria y alabarlo por lo que había ocurrido. En el capítulo 5, el Señor llamó a la nación a santificarse por el acto simbólico de la circuncisión. Entonces el pueblo empezó a comer de lo bueno de la tierra y Josué entró en la presencia de Dios.

En el relato histórico detallado en el capítulo 6 de la caída de Jericó, Dios mostró Su gran poder, usando aquellos que fueron obedientes a Su palabra. Como es muy común después de una gran victoria, Israel cayó en pecado. Leemos en Josué 7:1:

> «Pero los hijos de Israel cometieron una prevaricación en cuanto al anatema; porque Acán hijo de Carmí, hijo de Zabdi, hijo de Zera, de la tribu de Judá, tomó del anatema; y la ira de Jehová se encendió contra los hijos de Israel.»

Josué no tenía conocimiento de la actividad de Acán cuando mandó a unos hombres a inspeccionar los enemigos de Hai. En el versículo 3 encontramos que los hombres volvieron a Josué y dijeron: «No suba todo el pueblo, sino suban como dos mil o tres mil hombres, y tomarán a Hai; no fatigues a todo el pueblo yendo allí, porque son pocos.» Como resultado de no consultar a Dios y a causa del gran pecado de Acán, Israel sufrió tan gran derrota que «el corazón del pueblo desfalleció y vino a ser como agua». Josué respondió rompiendo sus vestidos y postrándose en tierra sobre su cara, y en los versículos 7 a 9 lamentó su apuro ante Dios.

¡Me encanta el versículo 10! Lo expreso en estas palabras: «Y el Señor dijo a Josué: ¡Levántate y haz algo! ¿Por qué estás postrado sobre tu rostro?» El Señor reveló a Josué que alguien en el campamento había pecado y que aquel pecado escondido había causado la derrota en Hai. Además, Dios avisó a los israelitas que, hasta que el pecado no fuera resuelto, no podían hacer frente a sus enemigos. Instruyó a Josué a buscar a aquel que había transgredido y a quemar a aquel hombre con todas sus posesiones. Cuando Josué encontró que Acán era culpable, lo invitó a confesar su pecado. En los versículos 20 y 21, Acán reveló que había tomado un manto, dinero y un lingote de oro y los escondió bajo su tienda. Josué envió mensajeros para recobrar las cosas robadas y las puso delante del pueblo y del Señor. En los versículos 24-26 vemos a Acán, su familia y todas sus posesiones llevadas al valle de Acor, donde él y su familia fueron apedreados hasta la muerte y entonces quemados y así traídos a la responsabilidad por su pecado.

Antes de seguir, veamos qué similitudes existen entre esta historia y la vida de la víctima de incesto. La víctima es muy parecida a Israel en esta historia. El agresor ha quitado de la víctima alguna posesión valiosa y esconde su pecado, como Acán robó artículos prohibidos y escono

dió su pecado. La víctima sufre la derrota en su vida debido al pecado cometido en contra suya, como Israel sufrió la derrota en Hai debido al pecado de Acán. No fue hasta que Acán fue afrontado, confrontado y considerado responsable por su pecado que Israel pudo salir de nuevo para ser victorioso en la batalla. Creo que la víctima debe afrontar la realidad del pecado de su ofensor contra ella, confrontar si es apropiado, y considerado responsable por sus acciones. Esto no quiere decir que nosotras como víctimas busquemos la venganza, pero sí quiere decir que pongamos en la cuenta del ofensor el pecado y las injusticias que ha infligido sobre nosotras. Al final, dejamos el juicio del pecado a Dios. Sin embargo, la responsabilidad quizás incluye tomar alguna acción legal. Esto no debe considerarse por los cristianos como un deseo de venganza. Es simplemente permitir que las consecuencias naturales sigan a un acto pecaminoso. Como se ha mencionado antes, Dios demostró esto en Su relación con David. David fue perdonado, pero se le permitió sufrir las consecuencias de su pecado. Ya que David había menospreciado el mandamiento del Señor, la espada nunca se apartaría de su casa y sufriría la pérdida del bebé nacido como resultado de su pecado (2º Samuel 12:9-14).

Puedes preguntarte por qué establecer la responsabilidad es tan importante para la víctima. Un día de verano me puse a leer el libro de Oseas en mi devocional. Siempre he admirado al profeta Oseas. Fue llamado a vivir (de manera diaria) la analogía de un Israel adúltero. En el capítulo 2 leemos del amor de Dios por su pueblo infiel. ¡Los versículos 14 y 15 se hicieron vivos para mí aquella mañana!

> «Por eso, he aquí que yo la voy a seducir y la llevaré al desierto, y hablaré a su corazón. Y le daré sus viñas desde allí, y el *valle de Acor* por *puerta de esperanza*; y allí responderé como en los tiempos de su juventud,

y como en el día de su subida de la tierra de Egipto» (énfasis mío).

El Espíritu Santo empezó a enseñarme cuán vitales eran estos versículos para las víctimas. En mi propia vida, Él tuvo que llevarme por aquel período de desierto. Yo no estaba dando fruto y mi vida era desolada en muchas áreas. Durante ese tiempo empecé a ser consciente de los síntomas en mi vida. Entonces el Espíritu Santo empezó a hablarme con ternura y animarme a buscar consejería.

Pronto empecé a ver el fruto de aquella consejería aunque era un tiempo muy doloroso. El valle de Acor se convirtió en una «puerta de esperanza» para mí en dos maneras muy distintas. En el hebreo «achor» quiere decir «dificultad.» ¡Cuántas veces Dios usa el valle de dificultad en nuestras vidas para llevarnos al punto de esperanza! En aquel momento, no tenía ni idea de que iba a estar compartiendo como lo hago hoy con miles de víctimas. El segundo significado que «achor» tiene se muestra en la historia de Acán en Josué 7. Fue el valle de la responsabilidad en la vida de Acán. Dios me mostró cuán esencial era este concepto al liberarme de la esclavitud. Tuve que establecer la responsabilidad de mis padres y liberarme de la falsa culpabilidad. Este tema de la responsabilidad fue el primer paso crucial para seguir con la curación. Después de que el valle de Acor se convirtiera en mi puerta de esperanza, empecé a cantar como había hecho en mi juventud, antes del abuso sexual. Estaba en el proceso de ser liberada de la esclavitud de Egipto.

La restauración como una meta

Mientras meditaba sobre estos versículos durante algunos días, el Espíritu Santo continuaba inspirándome. Era como si dijera: «Jan, esto es lo que has de compartir. Deseo hacer una obra de curación en mi pueblo. Están experimentando una desolación en sus vidas y estoy usando este lugar para empezar la curación. Quiero que den fruto en el lugar de desolación pero hay que trabajar antes de que ocurra.»

Me acordé de los versículos en Ezequiel 36:34-36 en los cuales el Señor dice:

> «Y la tierra que estuvo asolada, será labrada, después de haber permanecido asolada a ojos de todos los que pasaron. Y dirán: Esta tierra que estaba asolada ha venido a ser como el jardín del Edén.
>
> ... Y las naciones que queden en vuestros alrededores sabrán que yo Jehová reedifiqué lo que estaba derribado, y planté lo que estaba desolado; yo Jehová he hablado, y lo haré.»

¡Qué promesa para las víctimas! Sin embargo, debes darte cuenta que usa el proceso de arar. No es fácil. De hecho, es muy doloroso. Imagina una gran extensión de tierra desértica quemada por el sol. Nada crece allí. Es inútil. La tierra se ha endurecido. Hay grietas en algunas áreas. A causa de su condición, es imposible excavarla sin usar máquinas especiales. El proceso de arar es desarraigar y remover la tierra. Requiere tiempo. Aun después de labrar la tierra y plantar la semilla, tendrá que pasar un tiempo para que aparezcan los brotes.

Es como en la vida de la víctima. Tiene áreas de desolación. Dios requiere un desarraigamiento del pasado que es muy doloroso. Con frecuencia, elige usar a aquellos que son especialistas en el área del abuso sexual como Sus herramientas en el proceso de arar. Empieza a plantar semillas en la tierra anteriormente desolada y un día el jardín saldrá. Las viñas que llevan fruto serán visibles a todos y los paganos darán la gloria a Dios. Porque sólo Él puede tomar la desolación en una vida y hacerle dar mucho fruto. El asunto de la responsabilidad es la puerta para que la víctima permita que Dios empiece a plantar las semillas. Creo que el Espíritu Santo usó aquel pasaje en Oseas para mostrarme la importancia de que las víctimas lleven a sus ofensores al valle de la responsabilidad. He visto el proceso de curación en muchas mujeres y he visto cuán vital es este paso de establecer la responsabilidad. Es el camino a la recuperación.

Pienso en Lidia, de unos cuarenta años, esposa de un pastor. Lidia tuvo dificultad en establecer la responsabilidad de su padre por el abuso sexual. Ya que tenía catorce años cuando ocurrió, pensaba que tenía que haber sido capaz de controlarlo. Incluso admitió que a veces se gozaba de sus atenciones. Después de algunas semanas de hablar sobre el asunto de la responsabilidad en el grupo, Lidia anunció a los otros miembros: «Cuando Jan mencionó esta área, al principio, yo no fui receptiva. Pensaba que no era aplicable a mí, sólo a las demás. Durante estas últimas semanas, por fin me he dado cuenta de que mi padre *era* responsable por sus acciones. Desde que he empezado a verlo como responsable, he sentido una nueva libertad y creo que hay esperanza para mí.» Era asombroso ver el progreso de Lidia durante los seis meses posteriores. Cuando se liberó y llevó a su ofensor al valle de la responsabilidad, permitió que Dios empezara a plantar las semillas de la verdad en su vida. Ha empezado a tener una relación más profunda e íntima con Dios y con otros como resultado. También ha podido compartir su experiencia con otras mujeres en su iglesia y ofrecerles esperanza para su curación.

Hemos visto en este capítulo qué impide a las víctimas establecer la responsabilidad: culpabilidad falsa, temor a perder relaciones valiosas y minimizar la importancia del acto o intento del agresor. Hemos visto cómo Dios usa el establecimiento de responsabilidades en las vidas de Su pueblo.

Si has sido forzada sexualmente, date cuenta de que

el «valle de la responsabilidad» es tu «puerta de esperanza». Cuando seas capaz de establecer la responsabilidad de tus ofensores, la puerta que te ha mantenido cautiva durante años empezará a abrirse poquito a poquito. Es el umbral a tu libertad y a una vida fructífera. El Espíritu Santo promete «andar al lado» tuyo y te ofrece esperanza y ánimo cuando decides pasar por esa puerta. No te desanimes. Tu Edén está por delante.

PENSAMIENTOS PRÁCTICOS

1. Haz una lista de las maneras en las cuales te has mantenido responsable por el trauma que has experimentado. Si fuiste víctima de abuso de pequeña, encuentra una foto de ti misma a la edad que tienes los primeros recuerdos del abuso. Mientras mires aquella foto, hazte las siguientes preguntas:
   a. ¿*Realmente* podría haber sido responsable por lo que ocurrió a esa edad?
   b. ¿Cómo sentía la niña en la foto sobre lo que le estaba ocurriendo?
   c. ¿Puedes como adulta empezar a liberar aquella niña de la responsabilidad?

   Si aún sigues experimentando un profundo trauma emocional como adulta, considera si la responsabilidad que has asumido y la que has asignado al ofensor son apropiadas. Haz cualquier ajuste necesario.
2. Lee 2º Samuel 13:1-19. Date cuenta de la vulnerabilidad de Tamar y el extremo rechazo y culpabilidad que experimentó. Ahora lee los versículos 20-39. No queda ninguna duda en la mente de Absalón de quién tenía la responsabilidad. (Esto no significa aprobación de las acciones de Absalón, sino simplemente indica su comprensión de la responsabilidad en este caso.)
3. Memoriza Isaías 54:4, 5.

Capítulo 6

Paso V.
LOCALIZAR EL ORIGEN DE LA CONDUCTA Y SÍNTOMAS

El pastor y autor Robert Schuller ha hecho una declaración interesante que es particularmente apta para este capítulo. Dice que tenemos que hacer tres cosas con las áreas de dificultad en nuestras vidas: «Afrontarlas, localizarlas, y borrarlas.» En este capítulo vamos a centrarnos en las dos últimas. ¿Qué significa «localizar el origen» de las áreas de dificultad en nuestras vidas? Significa empezar a mirar las pautas actuales en nuestras vidas, particularmente aquellas que afectan nuestras relaciones personales y a identificar las características perjudiciales que predominan en nuestra manera de relacionarnos con otros. Después de identificar aquellas conductas, «localizamos su origen», o sea, buscamos dónde y cuándo tuvieron su origen en nuestras vidas. Después de localizar su raíz, comenzamos, de manera disciplinada, a «borrar» aquellas pautas perjudiciales y dañinas.

Déjame compartir una experiencia personal. Dos años después de casarnos, me encontré excesivamente crítica con mi marido Don. Encontraba algo mal en cada cosa que hacía. Con amor él vestía a nuestra hija por la mañana y le saludaba yo diciendo: «¿Por qué le has puesto *aquella* prenda? Hace demasiado frío fuera para llevar aquello.» Él quitaba el desayuno de la mesa y yo respondía de manera crítica: «Por favor, no lo pongas *allí.* Va aquí.» Después de entrar al lavabo y encontrarlo un poco sucio, yo le atacaba: «¿No puedes limpiar nunca la bañera después de ducharte? *Nunca* recoges el lavabo.» Mientras Don se cansaba de este bombardeo de críticas, me di cuenta de lo infeliz que yo le estaba haciendo. Y yo también me sentía infeliz.

¿Qué hay que buscar?

En medio de la terapia, mi terapeuta me animó a localizar el origen de las pautas no deseadas en mi vida. Una de las primeras que miré fue la de ser muy crítica. ¿De dónde había venido? Hasta cierto punto los estilos de comunicación, hábitos, gestos e idiosincrasias personales tienen sus raíces en el trasfondo familiar. Éstas pueden ser características positivas o negativas que llevamos a nuestro matrimonio. Entonces pasamos una vida entera con una pareja, procurando reformar lo que aprendieron o no aprendieron de su familia de origen. Quizás tu esposo aplasta el tubo de la pasta de dientes en el medio y tú lo haces casi religiosamente desde abajo. Los cajones de su ropa están inmaculados, pero los tuyos son un desastre. Ya que el ejemplo es muy importante para los niños, frecuentemente no es lo que oyen de sus padres lo que les impacta, sino lo que ven.

En mi casa mi padrastro era excesivamente crítico. De pequeña, quizás había hecho nueve cosas bien y una cosa mal pero papá siempre se centraba en aquella cosa mal hecha. En nuestra casa la hora de comer generalmente era una experiencia desagradable. Papá venía a casa del trabajo y comíamos justo a las cinco y media cada tarde. Pasaba la mayor parte de la comida, quejándose de sus compañeros, burlándose de mi madre, chillando a los niños o recreando una escena de la oficina en la que había criticado a alguien.

Nunca me di cuenta del efecto que esto tuvo en mí hasta que me casé. Un día, Don, Heather y yo estábamos cenando. Heather, con sus cuatro años, hablaba y hacía preguntas. Don y yo estábamos llenando nuestras bocas sin decir una palabra. De repente, me di cuenta de que no estábamos utilizando esta buena oportunidad para tener una conversación agradable. Mientras Don y yo hablamos del asunto más tarde, empezamos a localizar el origen de esta conducta en nuestros trasfondos. Don venía de una familia de siete hijos, cuatro chicos y tres chicas. Era importante en su casa comer rápidamente para asegurarse «su ración entera». Me di cuenta entonces de que como adolescente, había desarrollado el arte de tragar la comida rápidamente para poderme ir de la mesa. El ambiente en la mesa se había hecho tan incómodo que sin querer había desarrollado este hábito para huir del «dolor».

Mientras mi marido y yo hablábamos aquella noche, decidimos hacer un esfuerzo para convertir la hora de comer en un rato agradable para nuestros hijos. Hemos desarrollado unos nuevos hábitos de conversación y nuestra hija Heather incluso ha inventado algunos juegos divertidos para la mesa que jugamos como familia.

Es importante mencionar aquí que no todas las dificultades de conducta y síntomas se derivan directamente de la experiencia de abuso sexual. Como hemos mencionado antes, generalmente existen en la familia algunos problemas de disfunción anteriores al incesto. Es de estas pautas que el incesto sale. La mayoría de la investigación tiende a apoyar esta hipótesis. Es este mismo fenómeno que contribuye al incesto, llevándolo de una generación a la próxima. Los estilos disfuncionales de comunicación, el grado en que la familia es un «sistema cerrado», y la incapacidad de la familia de resolver conflictos de una manera sana son todos factores que contribuyen a permitir o reducir la disfunción en la siguiente generación.[1]

¿Cómo se hace el «localizar el origen»?

¿Qué requiere localizar el origen? Requiere identificar pautas actuales de conducta que contribuyen a las dificultades en tus relaciones para después localizar su origen. Imagina este proceso como descubrir un cortocircuito en un sistema eléctrico. El cortocircuito puede hacer parpadear o apagarse a la lámpara del salón sin aviso. Tienes que examinar las piezas de la lámpara cuidadosamente para determinar el origen del cortocircuito y entonces tomar medidas para cambiar la pieza o piezas dañadas. Así es en nuestras relaciones. Tenemos que mirar las diferentes áreas de la vida que no funcionan a su pleno potencial y localizar su raíz. Entonces nos comenzamos a cambiar aquellas pautas disfuncionales con unas nuevas y sanas. Es imprescindible depender en el Espíritu Santo para Su dirección y guía en esta área. La Escritura dice en Juan 16:13 que el trabajo del Espíritu Santo es de «guiar[nos] a toda la verdad». Esta verdad incluye más que simple teología bíblica correcta. El Espíritu Santo mora dentro de nosotros y echa luz en las áreas oscuras en nuestras vidas. A través de Su capacitación, recibimos el poder para hacer cambios. Cuando he ido al Señor acerca de mis hábitos desagradables a Él y perjudiciales para otros, Él ha sido fiel para exponerlos y ayudarme a hacer cambios.

Con frecuencia, la comunicación es un problema para una víctima de abuso sexual. Si vienes de una familia donde la comunicación no era clara o era mínima, te encontrarás comunicando de la misma manera. Si vienes de una familia donde la comunicación era superficial, tendrás dificultades expresando tus sentimientos profundos y pensamientos íntimos.

Ser perfeccionista es otro síntoma del carácter que puede requerir ajuste. A menudo arranca de un padre o madre crítico que era imposible de agradar. Como adultos quizás nos encontramos jugando el mismo papel con nuestros hijos que nuestros padres jugaron con nosotros. Los hábitos alimenticios, manera de gastar el dinero, manipulación, rebeldía a la autoridad y trastornos psicosomáticos todos pueden venir de pautas desarrolladas en la infancia. Hace falta mencionar que frecuentemente es necesario hacer este proceso de localizar el origen con la ayuda de un profesional cualificado. Durante mi terapia vi algunas de estas pautas, aprendí la manera de comenzar a hacer algunos cambios, y empecé a hacerlos. Desde que he salido de terapia, el Señor sigue mostrándome áreas que tengo que «afrontar, localizar y borrar». Procuro localizar su origen y proponer un curso para cambio.

¿Por qué es esto necesario?

Mi terapeuta usó una excelente ilustración. Dijo: «Imagina una balanza. Frecuentemente cuando las víctimas vienen a terapia, están llevando *todo* el peso de la responsabilidad por todo lo que ha ocurrido» (figura 1). A través del proceso de terapia, empezamos a transferir el peso de manera que el agresor asuma la responsabilidad por lo que ha hecho (figura 2). La meta de la terapia es establecer un equilibrio. El agresor es responsable por su parte en el abuso sexual en el pasado y la víctima queda absuelta. Es importante distinguir que la víctima adulta ha de comenzar a asumir la responsabilidad por sí misma y sus elecciones en el presente y en el futuro (figura 3). Ya no es apropiado pasar el resto de su vida culpando al agresor por su conducta actual. Puede ser que la víctima no olvide lo que ha ocurrido, pero cada día tiene que elegir quién es y cómo se relaciona con otros. Cuando comparto este concepto con otras mujeres, les digo que Dios nos llama a un equilibrio en nuestras vidas y que El nos dará el poder para llegar a este equilibrio. Desea que seamos libres, así que, en vez de *reaccionar* a nuestro *pasado*, empezamos a *responder* a la vida en el *presente*. No tenemos que estar sujetas a nuestro pasado. En Isaías 61:1 leemos: «El Espíritu del Señor Jehová está sobre mí... para vendar a los quebrantados de corazón, para proclamar libertad a los cautivos, y a los presos apertura de la cárcel.» Podemos ser libres en el Señor Jesús cuando el Espíritu Santo rompe nuestras cadenas. Debemos asegurarnos de que estemos en una posición para recibir lo que Él quiere hacer en nuestras vidas.

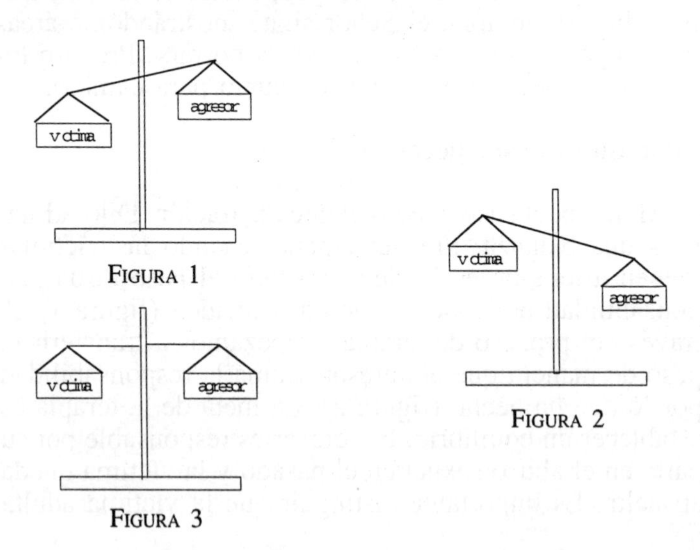

FIGURA 1

FIGURA 2

FIGURA 3

El plan de tres pasos

Una vez que hayamos identificado un problema actual y hayamos localizado sus raíces en nuestro pasado, ¿qué debemos hacer después? Primero, miramos la circunstancia que precipita la conducta no deseada. Segundo, cuando aquella circunstancia surja otra vez, tomaremos nuevas decisiones, evitando nuestras viejas reacciones y cambiándolas con unas nuevas. Tercero, practicamos estas nuevas conductas. En todo esto necesitamos discernimiento, sabiduría y fortaleza del Espíritu Santo. Como ya sabes bien, no es fácil cambiar pautas que han requerido una vida entera para formarse. Quizás será de ayuda compartir la siguiente experiencia. Nancy, esposa de un pastor, había sido forzada sexualmente por su padrastro de pequeña. Era excesivamente obesa y aunque había probado varios regímenes e incluso había considerado la cirugía, no podía perder peso de manera consistente durante un período de tiempo. Mientras analizábamos sus hábitos alimenticios, vimos un vínculo importante entre su conducta pasada y presente. Nancy frecuentemente comía demasiado cuando se sentía deprimida. La depresión generalmente se centraba en las frecuentes conferencias que daba su marido, las cuales lo llevaban de viaje. Nancy prometía a su marido que haría un gran esfuerzo para perder peso cuando estaba fuera, pero en cambio, muchas veces lo ganaba.

Cuando localizamos el origen de este hábito en su vida, ella fue consciente de que nunca había tenido un problema con la comida hasta los veinte años, tras la muerte de su madre. Entonces empezó a tener períodos de comer excesivamente durante días. Por primer vez, Nancy se dio cuenta de que el temor a perder a su marido contribuía en gran parte a sus malos hábitos alimenticios. Se propuso cambiar su conducta con la ayuda de Dios. Cuando su marido tenía un viaje a la vista, planeaba actividades con los niños para evitar estar en casa deprimida sin hacer nada. Llevaba una amiga de confianza cuando hacía la compra, para poder tomar decisiones sabias y no comprar pasteles, galletas y caramelos. Ya no hizo ninguna promesa a su marido respecto a su peso, pero empezó a aceptarse como era, aunque tenía un sobrepeso de casi 70 kilos. Cuando fue por estos pasos, Nancy se quedó asombrada con el progreso que hizo. Hubieron momentos en que retrocedió a sus viejos hábitos, pero ha podido controlar su dieta y ha perdido muchísimo peso.

La perspectiva de Dios

Borrar las pautas habituales no es un trabajo fácil. Requiere consistencia, disciplina y esfuerzo. Me acuerdo de Filipenses 2:13 que dice: «Porque Dios es el que en vosotros opera tanto el querer como el hacer, por su buena voluntad.» ¡Me alegro de que no todo dependa completamente de mí!

Acuérdate, localizar el origen es una herramienta usada para encontrar el origen de conductas erróneas, no una herramienta para excusar o justificar nuestra conducta. El principal objetivo es tomar esa información y empezar a trazar un mapa de un plan de acción hacia el cambio. Cuando pensé en esta herramienta tenía curiosidad por saber su relevancia en las Escrituras. Muchas veces en el Antiguo Testamento somos exhortados a no ser como nuestros padres, que no obedecieron los mandamientos de Dios: «No seáis como vuestros padres y como vuestros hermanos... No endurezcáis, pues, ahora vuestra cerviz como vuestros padres» (2º Crónicas 30:7, 8).

La Palabra de Dios afirma que llevamos pautas de una generación a la próxima como se evidencia en Éxodo 34:6, 7. En la historia de Elí y Samuel (1º Samuel 1–3), Elí no «impidió» a sus hijos y como resultado, Dios pronunció juicio sobre la casa de Elí. Samuel fue usado, aun de pequeño, a entregar el mensaje de juicio a Elí. Aunque Samuel también fue un profeta ungido por Dios, él tampoco aprendió del mal ejemplo de la vida de Elí. En 1º Samuel 8:1-3 leemos que Samuel puso a sus hijos como jueces sobre Israel, pero «no anduvieron los hijos por los caminos de su padre, sino que se volvieron tras la avaricia, dejándose sobornar y pervirtiendo el derecho». Me gustaría saber lo que hubiera pasado si Samuel en los primeros años de adulto hubiera identificado y localizado el origen de algunas pautas erróneas en su vida. ¿Hubiera alterado la manera de criar a sus hijos? Ya que Elí era su ejemplo principal, sin duda Samuel sintió la influencia del estilo de educar de Elí.

Dios nos otorga gracia inconmensurable en esta vida pero es mi deseo «romper las cadenas» que me mantienen en esclavitud, bien si provienen de mi pasado o bien si son producto del presente. Hay un versículo precioso en Esdras 9:9 que claramente declara el propósito de Dios en nuestras vidas: «Porque siervos somos; mas en nuestra servidumbre no nos ha desamparado nuestro Dios, sino que inclinó sobre nosotros su misericordia... para que se nos diese vida para levantar la casa de nuestro Dios y restaurar sus ruinas, y darnos protección en Judá y en Jerusalén.»

Cuando el Espíritu Santo me guió a este versículo, me mostró la importancia de ello hoy en día. *Somos* el templo de nuestro Dios y es Su deseo restaurar las ruinas en nuestras vidas. Quiere edificarnos a pesar de la destrucción que hemos llevado con nosotras de las batallas de la vida. Como Nehemías aprendió cuando reedificó el muro en Jerusalén, no es ninguna tarea fácil, sino una que acometemos sabiendo que Dios será el supervisor del proyecto. Oro para que tengas ánimo para localizar el origen de las ruinas de tu pasado y para empezar hoy a edificar tu muro para la gloria de Dios.

PENSAMIENTOS PRÁCTICOS

1. Identifica un problema presente en tu vida que quieres cambiar. Pide al Espíritu Santo que te haga consciente del problema y te dé poder para hacer los cambios. Examina la condiciones bajo las cuales eres más vulnerable a que esta conducta ocurra. Haz un plan detallado para evitar esta conducta la próxima vez que surja, por ejemplo, orar, ir de paseo, morder tu lengua, etc. Concéntrate en esta área durante al menos dos semanas y entonces evalúa si el plan funciona o si hacen falta ajustes para hacerlo más eficaz.
2. Lee Romanos 6:4-22. Frecuentemente, aquello a lo que nos aferramos tan desesperadamente interfiere con experimentar una relación íntima con nuestro Salvador.
3. Memoriza Filipenses 2:13.

Capítulo 7

Paso VI. OBSERVAR A OTRAS Y EDUCARTE

Durante los últimos dos años hemos tenido algunas reuniones como la de ayer. Sin embargo, la de anoche fue una experiencia única y memorable. Éramos ocho mujeres juntas en una sala ya familiar. Era nuestra décima y final sesión como grupo que se había juntado para un propósito común. Mientras me sentaba mirando a todas, me acordé de cómo cada persona había entrado diez semanas antes. Algunas estaban ansiosas, algunas reservadas, algunas nerviosas, algunas reticentes, pero todas estaban allí, creo, para una cita divina. Recordé como, por turno, nos presentamos dando nuestros nombres, compartiendo un poco sobre nuestro trasfondo y expresando las metas que esperábamos conseguir. Cuando miré las caras de aquellas mujeres otra vez anoche, me saltaron las lágrimas al pensar en la bondad de Dios. Nadie sino Dios podía tomar a estas mujeres que habían pasado la experiencia penosa y traumática de relaciones incestuosas, ponerlas en este ambiente durante diez semanas y desarrollar un vínculo mutuo de amor en medio de profundo dolor personal.

Cuando les pregunté si iban a seguir en el grupo o no, sentí simultáneamente las emociones de gozo y tristeza. Había gozo especialmente para Sandra quien, después de pasar por dos sesiones de diez semanas, había progresado mucho. Había confrontado con éxito a su agresor y su familia estaba tomando los pasos hacia la restauración. Pero sentí tristeza porque Sandra ya se iba. Ya no sería parte de este grupo especial de mujeres, al menos en el sentido literal. Mientras Sandra expresaba a cada miembro cómo había contribuido de una manera personal compartiendo de su corazón, sentí el profundo lazo creado por la vulnerabilidad mutua durante las semanas anteriores. Mientras el grupo compartía con Sandra, el tema reflejado por todas era más o menos: «Gracias por permitirme verte, tus debilidades, tus fracasos, tu pasado, tus esperanzas, tus metas, tus esfuerzos.» Y Sandra parecía decir: «Gracias por aceptarme como soy y por retarme a ir adelante y ser lo mejor que puedo ser para la gloria de Dios.» ¡Cuán misericordioso es nuestro Dios, por tomar la devastación y desolación de una vida y empezar una curación fructífera!

La importancia de otras

Este sexto paso de observar a otras y educarnos a nosotras mismas puede parecer intrascendente. Sin embargo, es un punto decisivo. Hasta este momento, nos hemos concentrado principalmente en lo interior. Por este paso empezamos a dirigir nuestro enfoque hacia fuera de nosotras. Aunque la obra interior no se ha acabado, procuramos involucrar y beneficiar a otras por nuestra curación. Es en este punto que recibimos y ganamos los beneficios de ser altruistas. Hablaremos más sobre esto en un capítulo posterior.

¿Por qué es necesario involucrar a otras en el proceso de curación? En términos psicológicos, se conoce como el factor terapéutico de la universalidad. Dicho en palabras simples, quiere decir que nosotras, como individuos doloridos, nos damos cuenta de que no somos las únicas ni que estamos solas, encontrando a otras que han pasado por lo mismo que hemos experimentado. Mientras doy conferencias en varias partes del país y comparto mi historia y los pasos para la curación, siempre me vienen algunas mujeres después y me dicen: «Sabía que no era la única que había sido forzada sexualmente, pero hasta que te he oído hoy, nunca había conocido a nadie que tenía los mismos sentimientos y las mismas necesidades que tengo yo.» No puedo explicarte por qué éste es un factor tan importante en el proceso de curación, pero sí sé que tiene apoyo en una investigación hecha por Lieberman & Borman en 1979[1] y se muestra como uno de los elementos clave en nuestros grupos de apoyo.

Las Escrituras parecen confirmar este principio a través del Antiguo y Nuevo Testamento. Se describe Jesús en Isaías 53:4 como uno que «llevó nuestras enfermedades, y soportó nuestros dolores», y en Hebreos 4:15 nos dice: «Porque no tenemos un sumo sacerdote que no pueda compadecerse de nuestras debilidades, sino uno que ha sido tentado en todo según nuestra semejanza, pero sin pecado.»

Cuando experimentamos cualquier tipo de pérdida, encontramos gran consuelo simplemente estando en la presencia de otra persona que ha pasado por una situación parecida. Es por eso que animamos a cualquier tipo de víctima a involucrarse con otros que han tenido una experiencia parecida. Es este elemento de universalidad que nos motiva a leer ciertos libros, ver ciertos programas de televisión y a asistir a numerosos seminarios. Tenemos una necesidad innata de decir: «¡No estoy sola en esto!»

Observar a otras tiene otro efecto positivo. Nos permite ganar comprensión en cómo tratar nuestra situación específica. Hemos encontrado en nuestros grupos que las mujeres entran en niveles diferentes. Cada una ha tenido una experiencia común y síntomas y sentimientos parecidos, pero cada una ha hecho progreso en diferentes áreas y ha aprendido a hacer frente de maneras diferentes. Animamos a las mujeres a compartir las maneras en que han hecho, están haciendo y esperan hacer frente en el futuro.

Grupos de apoyo

Frecuentemente encontramos resistencia por parte de personas preocupadas sobre la aparición de grupos de apoyo especializados. Expresan temor de que puede acabar en un lugar donde la gente se revuelca en autocompasión y derrota. Pero hemos encontrado que es lo contrario. Es un lugar donde una mujer puede venir y ser ella misma, quitarse todas las máscaras que lleva durante la semana y simplemente llorar, si es lo que necesita hacer. Es un lugar de esperanza, reto y ánimo. La dirección y tema del grupo de apoyo es por completo responsabilidad de sus líderes. Nosotras al presidir solamente hemos de proveer las normas, marco y tema para el grupo, y al mismo tiempo ser bastante flexibles como para darnos cuenta de que es *su* grupo, diseñado para la curación de *ellas*, no una plataforma personal para liderazgo. Observar a otras nos permite vernos a nosotras mismas de una manera realista. También nos provee una oportunidad de hacer cambios donde sean necesarios. Frecuentemente es a través de un proceso de aprendizaje que ocurre el cambio.

Educarte a ti misma

Animo a las mujeres con las cuales trabajo a educarse sobre el tema del incesto, es decir, a leer libros y artículos, escuchar a conferenciantes, programas de radio y entrevistas sobre el asunto.

Desafortunadamente, no hay mucho de esto dentro de la comunidad cristiana. No obstante, animo a las mujeres a leer libros y artículos que están en el mercado cristiano sobre temas relacionados como autoestima, comprensión de nuestras emociones y curación interior. El énfasis es que la persona tome acción para su propio bien. Cuando pasé por terapia, no existían los grupos de apoyo, así que empecé a leer todo lo que tenía a mano. La comprensión que vino, incluso a través de algunos materiales seculares, empezó a transformar mis pensamientos. Después de acabar la terapia, asistí a un seminario de la iglesia dirigido por la Dra. Betty Coble, nuestra directora de ministerios para las mujeres. El seminario de Betty titulado «Mujer, consciente y decidiendo», trata sobre la autoestima y la relación matrimonial. Sus conceptos sobre la autoestima fueron fundamentales para cambiar mi vida, y los miraremos con más detalle en el capítulo 10, el capítulo sobre reconstruir nuestra autoimagen.

También usamos el ambiente del grupo de apoyo como un lugar de aprendizaje. Compartimos información bien contrastada desde una perspectiva objetiva y permitimos que las mujeres compartan desde una perspectiva subjetiva. Aunque no siempre es posible, una gran cantidad de esperanza se inculca en las mujeres si una víctima «recuperada» está también en el grupo. Tengo cuidado cuando pongo la palabra «recuperada» entre comillas, porque creo que básicamente siempre estaré en el proceso de recuperación. Cuando comparto con las mujeres, les digo que a causa de la gracia de Dios, ya no estoy sujeta a mi pasado, pero creo que siempre estaré en el proceso de curación. Dios sigue usando el grupo de apoyo como una herramienta de crecimiento en mi vida también. Es beneficioso para las mujeres saber que he conocido una parte de su dolor, pero que he podido superar muchos de los síntomas y pautas destructivas que suelen tener las víctimas. Observar a otras y educarnos a nosotras mismas provee un marco de referencia, una fuente de identificación y un ambiente de aceptación. En este ambiente una mujer puede aprender más sobre sí misma y sus relaciones y tiene un lugar desde donde empezar a incorporar y probar nuevas actitudes, conductas y creencias.

Es necesario confrontar los sistemas de creencia erróneos que tienen muchas víctimas. Tienen perspectivas distorsionadas de Dios, de otros y de sí mismas. El grupo de apoyo provee relaciones que pueden contradecir algunas de estas suposiciones negativas. Nos dirigimos a estos asuntos preguntando normalmente:

¿Cuáles son algunas de tus suposiciones básicas sobre ti misma?

¿Sientes que no mereces amor?

¿Te sientes impotente?

¿Cuáles son algunas de tus suposiciones sobre Dios?

¿Crees que Dios te está mirando cuidadosamente para castigarte inmediatamente cuando falles?

¿Merece Dios nuestra confianza?

¿Qué crees que es verdad sobre otros? ¿Sospechas de sus motivos? ¿Tienes desconfianza en su amistad contigo? ¿Están allí para aprovecharse de ti? ¿Se marchan cuando empiezas a ser más íntima emocionalmente?

Las mujeres a menudo comparten algunas de estas suposiciones negativas. Intentamos retarlas en varios niveles. *Primero*, les retamos verbalmente a través del uso de las Escrituras lo que invalida sus conceptos equivocados. *Segundo*, otras dentro del grupo comparten experiencias personales que invalidan sus suposiciones. *Tercero*, de manera muy sutil, la existencia del grupo mismo niega el mantenimiento de muchas de esas creencias.

Observar a otras

Brenda, que ha estado en tres de nuestros grupos, es un ejemplo de una persona que tiene un sistema de creencias equivocado que teníamos que confrontar. Brenda fue forzada sexualmente desde los tres años hasta los últimos años de su adolescencia por varios de los hombres en su familia. A lo largo de su vida había sufrido una serie de abusos. A causa de esto, había desarrollado un intrincado sistema de defensas, suposiciones negativas y mecanismos para hacer frente y sobrevivir.

Brenda tenía muchas suposiciones negativas. Una que cambió significativamente desde que se hizo miembro de un grupo de apoyo era su falsa suposición de que sería rechazada inmediatamente si hablaba a cualquier persona sobre su pasado. Incluso evitaba el recuerdo consciente de los incidentes porque pensaba que Dios le castigaría si recordaba cosas tan malas.

Trabajamos en varios niveles con Brenda. *Primero*, compartimos la aceptación total e incondicional de Dios de ella como se declara en Su Palabra. *Segundo*, pudimos mostrarle que otras mujeres en el grupo habían contado eventos de su pasado pero no fueron rechazadas por el grupo. *Tercero*, proveímos a Brenda con la oportunidad de compartir individualmente con otro miembro del grupo al menos un evento de su pasado.

Desde estos tres niveles, Brenda pudo llegar a la conclusión consciente de que podía hablar sobre su pasado y no sufrir un rechazo. La experiencia del grupo la ayudó a empezar a cambiar algunas relaciones personales fuera del grupo también. Poco a poco, Brenda está llegando a la conclusión de que Dios no está disgustado con ella, y que está a su lado animándola a liberar el veneno que había afectado su relación con Él y con otros.

Mientras has estado leyendo, espero que hayas captado la meta fundamental de todo lo que hemos hablado hasta ahora. *Es cambio.* No juntamos a mujeres simplemente para educarlas, permitirles compartir algunas experiencias pasadas parecidas y dejarlo allí. Estamos juntas en esto como un medio de conseguir cambio. Entendemos que cada una progresa a su propio ritmo y que negaríamos lo que procuramos conseguir si intentamos forzar a los miembros a un molde específico.

Hemos encontrado, como muchas otras, que el ambiente del grupo de apoyo provee una atmósfera en la que el cambio puede empezar a ocurrir. Si eres una víctima, te animo a encontrar al menos una persona más que entienda tu dolor interior porque también lo haya pasado. Si eres pastor o líder de una iglesia, ¿por qué no sales y empiezas a darte cuenta de las necesidades de tu congregación? Hablaré en un capítulo posterior sobre los detalles y normas para empezar grupos de apoyo para víctimas.

En su libro *Growing Strong in the Seasons of Life* (Fortaleciéndose en las épocas de la vida), Chuck Swindoll escribe: «Escondido en una esquina de cada vida hay heridas y cicatrices. Si no hubieran, no necesitaríamos un médico. Ni tampoco nos necesitaríamos el uno al otro.»[2] Sí, nos necesitamos el uno al otro. Anoche era una de aquellas noches que confirmaba nuestra necesidad de estar vinculadas la una con la otra. Sin duda Sandra te diría que vale la pena. ¡Alcanza a otras!

PENSAMIENTOS PRÁCTICOS

1. Lee al menos un libro que está relacionado con tu área específica de dolor, por ejemplo, sobre el divorcio, el abuso sexual, el adulterio, el alcoholismo. Hay una lista de literatura sugerida en el apéndice para las víctimas del abuso sexual.

Apunta cualquier nuevo pensamiento que recibes y, basado en eso, adopta al menos una nueva manera de pensar, sentir o comportarte, como resultado. Comparte tu dolor emocional con una persona que piensas que dará apoyo y aceptación. Procura reunirte con aquella persona (u otra víctima) regularmente para apoyo.

2. Lee 1ª Corintios 12:12-26. Eres una parte necesaria del cuerpo de Cristo. Puedes estar segura de que, aun en medio de pasar por tu crisis, hay otros aparte de ti que pueden recibir beneficio.
3. Memoriza Hebreos 10:24, 25.

Capítulo 8

Paso VII. CONFRONTAR AL AGRESOR

Desde el punto de vista de la víctima, confrontar al agresor es uno de los más difíciles de los diez pasos. Cuando comparto este concepto con las mujeres en mis grupos de apoyo, recibo una miríada de respuestas: «De ninguna manera podría hacerlo.» «Lo he hecho antes y no funcionó.» «¿Qué bien hará esto?» Otra respuesta común es: «Soy cristiana. ¿Cómo puedo confrontar a esta persona cuando Cristo nos enseña a perdonar?»

Tengo una noticia para ti: ¡La confrontación es algo bíblico!

En este capítulo, hablaré de:

¿Qué es la confrontación?
¿Por qué es necesaria la confrontación?
¿A quién hay que confrontar?
¿Cuándo debes confrontar?

¿Qué debe incluir la confrontación?
¿Cómo se puede conseguir?
¿Siempre funciona la confrontación?

Ya que cada situación es individual, siempre recomiendo que una víctima consulte a su terapeuta personal o una persona entendida y de confianza antes de intentar una confrontación cara a cara. He encontrado por experiencia personal que una confrontación *prematura* puede ser devastadora y contraproducente para la víctima.

¿Qué es la confrontación?

Antes de hablar sobre el por qué de la confrontación, vamos a examinar lo que significa «confrontación» y lo que debe conseguir. Según el diccionario, confrontar quiere decir «poner a una persona enfrente de otra». Desafortunadamente, en general, imaginamos una confrontación como una auténtica pelea que puede incluir y frecuentemente incluye abuso verbal y violencia física. Sin embargo, recuerda para nuestro propósito una confrontación quiere decir poner enfrente de otro. Si hemos de llevar los asuntos cara a cara con otra persona, primero debemos examinar nuestros motivos. ¿Cuál es el propósito detrás de la confrontación? Cuando las mujeres me consultan sobre una confrontación con el agresor, luchamos con este asunto. Les pregunto qué es lo que quieren conseguir de la confrontación. ¿Es venganza? ¿Reconocimiento? ¿Restauración? ¿Reconciliación? Puede ser una combinación de muchas cosas, pero el motivo fundamental debe ser la reconciliación. Muchas víctimas asumen que una reconciliación significa abrazar totalmente al agresor, desestimando lo que ha ocurrido y de ninguna manera expresar ira. Eso no es verdad. Tener la reconciliación como meta significa que la víctima desea armonía en la relación y un acuerdo o resolución de los asuntos del pasado.

La confrontación no se recomienda para víctimas todavía menores de edad ni para víctimas cuyos agresores están fuera de la familia. Puede llegar un momento en que las personas involucradas ya son adultas y estas confrontaciones pueden ocurrir, pero es solamente un asunto individual que requiere consideración en oración.

Cuando una víctima confronta al agresor dentro de la familia inmediata o extendida, debe recordar que solamente tiene la responsabilidad por sí misma. No debe asumir responsabilidad por la reacción del agresor ni por el futuro de la relación.

¿Por qué es necesaria la confrontación?

Como recordarás, hemos hablado en el capítulo 5 sobre el paso crucial de establecer la responsabilidad. La confrontación lleva el establecimiento de responsabilidad a un paso más. Capacita a la víctima para coger la carga de la responsabilidad y *ponerla* en las manos legítimas del agresor y de cualquier otro contribuyente. Déjame explicártelo por medio de un ejemplo. Como madre, tengo varias tareas de la casa que debo realizar. He establecido responsabilidades para mi hija también, como recoger sus juguetes antes de ir a la cama cada noche. Si he establecido esto como su responsabilidad, y sin embargo sigo recogiendo sus juguetes, realmente no se ha convertido en su responsabilidad. Debo, en algún momento, poner esa responsabilidad en sus manos y hacerla responsable a ella. Lo mismo se puede decir de ser una víctima. Quizás has dado consentimiento mental al hecho de que el agresor es responsable por lo que ha ocurrido, pero hasta que pongas aquella responsabilidad en sus manos por medio de la confrontación, probablemente estás llevando una parte, si no toda, de la carga.

La confrontación, entonces, es literalmente poner la responsabilidad en manos de sus dueños legítimos. Esto permite a la víctima descargar una carga que ha llevado, que en realidad no es suya. Puede descargar este sobrepeso y empezar a ser responsable solamente por lo suyo.

Como he mencionado anteriormente, la confrontación, es decir, poner los asuntos enfrente de una persona, es un concepto bíblico. La confrontación se presenta claramente en el Antiguo y Nuevo Testamento. Tenemos un ejemplo precioso de confrontación y reconciliación en la vida del rey David en 2º Samuel 12:1-23. Míralo desde la perspectiva de una confrontación. En el capítulo 11, el rey David comete adulterio y Betsabé se queda embarazada, y en un intento de tapar su pecado, astutamente hace un arreglo para que Urías, el marido de Betsabé, muera en la batalla. David asume que su pecado está escondido. Sin embargo, el Señor es completamente consciente y disgustado con el pecado de David. En el capítulo 12, el Señor cita a Natán, el profeta, para ir a David y confrontarlo. No queda ninguna duda de que el Señor también está contristado por el pecado de David. Natán usa una analogía inspirada por Dios para sacar el pecado de David a la luz y en los versículos 7-9, Natán abierta y directamente expone los detalles del pecado de David. Dios usa una confrontación directa cara a cara para traer a David a la responsabilidad. En el versículo 13, vemos a David admitiendo su pecado y reaccionando con arrepentimiento.

Esta historia es clave para entender la perspectiva bíblica de la confrontación. Pone los asuntos enfrente del otro y tiene la meta de la reconciliación. Algunas de vosotras estaréis sin duda diciendo: «Sí, pero la Biblia también dice perdonar a otros como Cristo te ha perdonado a ti. ¿Por qué no debo simplemente perdonar y olvidar sin pasar por el proceso doloroso de una confrontación?» Simplemente no funciona. Yo había llevado esta política de perdonar y olvidar durante casi veinte años. Por fin descubrí que simplemente camuflaba la ira, amargura y resentimiento. Mientras intentaba enterrar desesperadamente mi pasado traumático, encontraba que lo vivía en mi vida diaria, con la máscara de ira hacia mi hija pequeña, resentimiento crítico hacia mi marido, rebeldía a la autoridad, incertidumbre hacia Dios, y un profundo sentimiento de no tener valor. Este y otros pasajes de las Escrituras me han convencido de que la confrontación es una herramienta bíblica valiosa cuando se usa correctamente. Mateo 18:15 dice: «Si tu hermano peca contra ti, ve y repréndele a solas tú con él; si te escucha, has ganado a tu hermano.»

En su libro *Caring Enough to Confront*, David Augsburger escribe: «La vida sin confrontación sería sin dirección ni meta, pasiva. Cuando no son desafiados, los seres humanos tienden a ir a la deriva, vagar o estancarse.»[1] En su trato con la gente, Jesús daba un constante ejemplo de confrontación como un medio eficaz de motivación. Confrontó a la mujer en el pozo sobre su inmoralidad. Confrontó a los fariseos sobre su falsedad. Confrontó a Pedro sobre su negación. La meta de Jesús no era la de inculcar culpa, sino la de ayudar a la gente a afrontar la realidad de quiénes eran y a dónde iban si no cambiaban. Les confrontaba con la responsabilidad de sus acciones y les retaba a ser diferentes.

Es posible usar la confrontación como una herramienta para beneficiar al ofensor. He conocido a algunos hombres que han abusado sexualmente de sus hijas, y están tan cargados con la culpa y remordimiento que los afecta físicamente. Sus víctimas han optado por mantener el «secreto» intacto cuando, en realidad, la curación podría ser una realidad tanto para la víctima como para el agresor si una confrontación hubiera ocurrido. Julia encontró que esto era verdad en su caso. Durante años Julia había mantenido silencio sobre la relación incestuosa con su padre. Llevaba la culpa y la responsabilidad y no quería confrontarlo porque no parecía ser algo «cristiano». Después de ser miembro de un grupo de apoyo, se dio cuenta de que era una parte necesaria en su curación emocional. Como resultado de su confrontación, su relación con su madre, padre y hermanos fue restaurada. Su padre, que había sido alcohólico, optó por buscar ayuda para sus diversos problemas y la familia empezó a buscar la reconciliación activamente entre sus miembros.

La confrontación es un medio de romper el patrón incestuoso. Las víctimas tienen que darse cuenta de que la confrontación obliga al agresor y a otras personas involucradas en su vida a afrontar el problema cara a cara. Demasiadas víctimas que han optado por no confrontar han contribuido indirectamente a que el agresor haya abusado sexualmente de otra persona, incluso a veces de una hija de la misma víctima. Elena, un miembro de mi primer grupo de apoyo, tuvo que afrontar esta realidad. Es una cristiana devota, esposa y madre de tres hijas. Había sido forzada sexualmente por su padre durante varios años y podía identificarse con muchos de los síntomas anteriormente descritos. También observó que Cari, su hija mayor, tenía algunos síntomas típicos, incluyendo temor a su abuelo. Elena había preguntado cuidadosamente a su hija si su abuelo la había tocado alguna vez. Cari contestó que no, pero seguía mostrando temor e introversión. Oró al Señor que le mostrara por qué Cari estaba experimentando estos problemas y cómo ayudarla. Después de estar en el grupo de apoyo durante algunos meses, Elena se dio cuenta de que tenía que confrontar a su padre. Vivía cerca de sus padres e incluso trabajaba algunas horas en el negocio familiar. El contacto semanal se convirtió en algo insoportable y sabía que tenía que sacar los asuntos a la luz.

Elena preparó una confrontación con sus padres estando su terapeuta presente. Después de que Elena compartió algunos detalles específicos y la meta de la confrontación, su padre abiertamente admitió su responsabilidad y además, confesó los detalles de un encuentro con Cari. Dos años antes se había expuesto y había obligado a Cari a tocar sus «partes». Elena estaba irritada. Ya todo encajaba. Había hecho la pregunta equivocada a Cari. Cari había contestado correctamente. El abuelo nunca la había tocado. Elena se dio cuenta de la intensa culpa que Cari tenía que haber sentido durante más de dos años. Cari no sabía que la agresión no era su culpa. Aunque estaba devastada por el incidente en la vida de su hija, Elena dijo más tarde: «Al menos ahora lo sé, Jan. Si no hubiera confrontado a mi padre, nunca hubiera sabido la causa de los temores de mi hija. Al menos ahora puedo hacer por ella lo que mi madre nunca hizo por mí.»

Como Éxodo 34:6, 7 indica, los pecados de los padres son visitados sobre los hijos y sobre los hijos de los hijos, hasta la tercera y cuarta generación. Estudios seculares muestran esta verdad bíblica, por ejemplo, en una investigación hecha por el Dr. Roland Summit titulada: «Características típicas de incesto entre padres e hijas: una guía para la investigación». Summit declara que:

> «Una gran proporción de madres de hijas forzadas son también víctimas de abuso sexual. Los números exactos son difíciles de conocer. Un centro de tratamiento para niños forzados ha encontrado de manera consistente que más del 80 por ciento de las madres en el programa tenía un trasfondo de abuso sexual. En algunas víctimas había una cadena de abuso sexual que se extendía a sus madres e incluso a sus abuelas, haciendo un legado de cuatro generaciones de abuso sexual.»[2]

Ha de romperse la cadena. Es claro por la historia de Elena que el problema del abuelo no era simplemente un incidente aislado de hace años, sino que llevaba el pecado dentro de sí. Otra mujer de treinta y cinco años en uno de mis grupos me dijo que detestaba visitar la casa de sus padres en el este de EE.UU. porque su padre todavía se desnuda frente a ella. Él tiene 79 años.

Las estadísticas también indican que un porcentaje muy alto de víctimas adultas se casan con hombres que entonces también abusan sexualmente de sus hijas. ¡Esto es trágico! Alguien ha de estar dispuesto a levantarse de pie, confrontar el asunto y poner fin a esta cadena destructiva.

Tal vez no sea una tarea agradable. La confrontación a veces tiene algunas consecuencias naturales desagradables para los agresores. La víctima ha de tener cuidado de no intentar evitar o sentirse responsable por tales eventos. De esto se hablará en el próximo capítulo.

¿A quién hay que confrontar?

El próximo asunto importante de confrontación es: ¿A quién hay que confrontar? Para la mayoría es obvio que hay que confrontar al agresor. No obstante, hay que confrontar a las otras personas que contribuyeron con su responsabilidad.

Durante años yo dirigía toda la responsabilidad, ira y hostilidad hacia mi padrastro. Pero cuando tenía más de veinte años, un amigo que sabía lo que había ocurrido comentó: «Realmente estás muy enfadada con tu madre también.»

Yo estaba en fuerte desacuerdo. «Adoro y admiro a mi madre. Era una santa por aguantar a mi padrastro todos aquellos años.»

Sin embargo, el comentario de mi amigo se me quedó grabado durante años. Finalmente, en terapia vi que tenía razón. Me di cuenta también de que mi madre era responsable por lo que había ocurrido y que hacía falta confrontarla a ella también.

Con frecuencia, las madres animan indirectamente las relaciones incestuosas. En su libro *Betrayal of Innocence*

(Traición de inocencia), Susan Forward declara que la madre, a la cual se refiere como la «pareja silenciosa», «es un participante, sepa del incesto o no, aunque su participación frecuentemente se caracteriza más por lo que *no* hace que por lo que hace». He trabajado con muchas mujeres y niñas cuyas madres, cuando, confrontadas con la indiscutible evidencia del abuso sexual en la familia, no podían afrontar la realidad y simplemente lo negaron. He encontrado que frecuentemente esas madres también fueron forzadas sexualmente de pequeñas. A causa de su incapacidad para afrontar su propio abuso sexual y su hábito de negar en vez de afrontar, les resulta en demasiado dolor y culpabilidad reconocer el abuso sexual de su propia hija.

Además, las madres pueden encontrarse intimidadas por el daño físico o emocional o la inseguridad económica, y, por lo tanto, ignoran los síntomas o acusaciones de la víctima. Manteniendo la situación, la madre fomenta la continuidad de la relación incestuosa.

«El desencanto general de la pareja silenciosa, y el abandono emocional de su familia que resulta, es sutil», escribe Susan Forward.[3] Llamo a esto un distanciamiento emocional. A través de la indiferencia hacia su marido y la falta de sensibilidad hacia su hija, la madre prepara el escenario para el incesto.

En el fondo de cada familia incestuosa hay una ruptura en la relación matrimonial. La habilidad de comunicación en la pareja es mínima y generalmente uno domina al otro. Su relación sexual puede ser satisfactoria o no. Sin embargo, hay un claro abismo emocional que aliena al hombre y le obliga a buscar algún tipo de equilibrio, generalmente a través de una relación con sus hijas. Por supuesto, puede haber el caso de la persona individual también. Muchos agresores eran víctimas de pequeños y como he mencionado anteriormente, las mujeres que se casan con agresores, a menudo son víctimas también. Además, un agresor generalmente se caracteriza por su baja autoestima y su falta de control sobre sus impulsos. Puede presentarse como un hombre dominante que es un autoritario rígido y puede proteger excesivamente a sus hijas. O puede ser un hombre débil y pasivo que constantemente vive bajo la sombra de una esposa dominante. Es importante darte cuenta de que no es ningún hombre sucio y viejo en las esquinas de las calles. Generalmente es un hombre con un alto grado de inteligencia y puede ser incluso un pilar en la comunidad. He recibido cartas de víctimas en todo el país cuyos agresores era hombres muy respetables, incluso pastores, médicos, evangelistas, policías y otros profesionales.

Muchas víctimas describen a sus agresores de forma parecida. Frecuentemente, el agresor busca un sentimiento de equilibrio emocional a través de una tiranía sobre sus hijos. Muchos expertos están de acuerdo en que el incidente incestuoso, en realidad, no es un acto sexual, sino un intento de conseguir control o poder. Ambos tipos de agresores, el agresor débil pasivo que vive bajo la sombra de su esposa y el autoritario dominante, sin duda son productos de su pasado.

Otras personas pueden contribuir o ser agresores también. Hermanos, primos, tíos, tías, abuelos, abuelas o novios de la madre puede directa o indirectamente contribuir a la relación incestuosa. También es necesario tener a estas personas por responsables. Carla, una mujer en mi grupo de apoyo, fue forzada sexualmente por su tío. Se acuerda de que en una ocasión, su hermano entró en la habitación. Carla se acuerda con ira que él simplemente miró lo que ocurría durante unos segundos y se fue en silencio. Hasta cierto punto, Carla estaba tan enfadada con su hermano como con su tío.

Cuando ha habido incesto entre hermanos (lo más común es un hermano mayor con su hermana menor), es importante concentrarse no solamente en el agresor, sino en toda la estructura familiar. Al aconsejar a estas mujeres, a menudo encuentro que los padres habían sido muy negligentes en algunas áreas de la educación de los hijos. A veces fomentaron la actitud de que las mujeres no eran personas o que al menos eran subordinadas a los hombres y, por lo tanto, podían ser usadas. Cuando las relaciones incestuosas han abarcado un período extenso de tiempo, es indicativo de alguna separación emocional por parte de los padres. Procuro ayudar a las víctimas a examinar la dinámica de su familia y empezar a poner la responsabilidad no solamente en su agresor, sino también en los padres que permitieron las condiciones.

Es mi firme convicción que los niños muestran señales que indican su incomodidad en una relación. Los padres que invierten mucho tiempo en las vidas de sus hijos pueden captar estas señales. Los padres que se han apartado emocionalmente o no tienen sensibilidad no las reconocerán. Con frecuencia, es doloroso para las víctimas en esta situación descubrir sus sentimientos hacia sus padres, pero es muy necesario para la recuperación/curación total de *todos* los miembros de la familia.

¿Cuándo debes confrontar?

La víctima debe identificar las personas en su vida que ha de confrontar con su responsabilidad personal. El «cuándo» de la confrontación puede ser el punto más importante. Una confrontación prematura puede ser devastadora y contraproducente. Frecuentemente, comento a las víctimas que es mejor esperar en vez de seguir sin estar preparada. Hay algunos requisitos imprescindibles para intentar cualquier confrontación. *Primero*, la víctima debe sentirse en una posición de fuerza. Demasiadas víctimas han intentado una confrontación desde una posición de debilidad en vez de una de fuerza. La víctima debe *saber* sin ningún tipo de duda que es totalmente inocente y libre de cualquier responsabilidad por el incidente o incidentes.

Muchas mujeres luchan con este asunto. Gracia era una mujer que no podía liberarse de la responsabilidad. «Me acuerdo de odiar lo que ocurría», cuenta, «pero al mismo tiempo me gustaba. Era la única intimidad que sentía de pequeña. Puedo entender que, hasta cierto punto, no impedía incidentes repetidos». Mientras aconsejaba a Gracia, le dije: «Tu padre pervirtió tu necesidad de amor, aquella necesidad que Dios te había dado como niña, todo en un intento de satisfacer sus propias necesidades. Mientras pasaba el tiempo, tu necesidad de amor apropiado seguía, sin embargo, cada vez recibías un amor falsificado. Gracia, él nunca debería haberte puesto en esa posición. Tu padre es responsable por activar un ciclo de reacciones en ti que no tenía derecho a activar, y que desde entonces, has tenido dificultad en controlar.» Es de suma importancia que la víctima reconozca la completa responsabilidad del agresor antes de llevar a cabo la confrontación.

Segundo, ella debe hacer algún trabajo preliminar con su propia autoestima y ganar firmeza en su vida diaria. En otras palabras, debe mostrar signos de confianza en sí misma, en vez de retroceder al papel de la víctima.

En mi propio caso, esta posición de fuerza se desarrolló a través de algunas decisiones difíciles. Empecé a darme cuenta de que cada vez que estaba a punto de ver a mi padrastro en una reunión familiar, sentía una gran cantidad de ansiedad. Me enfadaba fácilmente con mi marido y me sentía «fuera de control».

Había confrontado a mi padrastro en dos ocasiones anteriores en un intento de reconciliación y había encontrado negación y rechazo total. Una tercera vez le había confrontado con ira. Ninguno de estos acercamientos funcionó. Entonces busqué consejo de algunos amigos cristianos muy íntimos. Recomendaron que me apartara de mi padrastro durante un período de tiempo indefinido y más o menos rechazar verlo. Al principio dije: «No hay ninguna manera en que puedo hacer esto. ¿Cómo voy a explicar esto a mi madre? ¿Qué puedo decir para que ella lo comprenda? Ciertamente no es cristiano hacer esto.»

Otro líder espiritual respetable me dio el mismo consejo. Confirmó en mi mente que era el mejor curso de acción. Mis primeros dos intentos de confrontar a mi padrastro se habían hecho desde una posición de debilidad, no desde una de fuerza. Mis amigos me hicieron ver qué esperaba y en un sentido *pedía* a mi padrastro que asumiera responsabilidad por lo que había hecho. Le había ido como una niña suplicando en clamor, en vez de como una mujer adulta con conocimiento. Después, cuando fui a él en ira, no dejé sitio para la reconciliación y la curación, y, por lo tanto, encontré una actitud defensiva. En cada situación, había dejado el control en manos de mi padrastro, y ahora tenía que asumir el control de la situación yo misma. Mis amigos compartieron conmigo que esta decisión no era solamente para mí misma, sino también para mi marido e hija que eran víctimas mías debido a mi intensa ansiedad.

Mi marido apoyó mi decisión de llamar a mi madre. Aquella llamada telefónica era muy difícil, pero había tomado mi decisión. Mientras hablaba con mi madre, le dije que sufría tensión emocional cada vez que veía a mi padrastro, y que ya no iba a verlo más. Su respuesta inmediata fue: «¿Por qué haces esto ahora? ¿Qué le voy a decir? ¿Cuánto tiempo va a durar?» Le expliqué que estaba tomando una decisión por mí misma y por mi familia. No tenía ni idea de cuánto tiempo duraría esta situación. Era un paso más hacia una resolución de los asuntos pasados. Le dije que no me importaría explicarle mi decisión, aunque sabía que a ella no le gustaría que lo hiciera. Entonces expresé mi deseo de continuar la relación con ella y permitirla visitarme cuando quisiera.

Le ofrecí llevar a mi hija a un restaurante o ir a su casa cuando mi padrastro no estuviera. Le di la oportunidad de responder. Había tomado una decisión y le dejé tomar sus propias decisiones basadas en la mía. La separación entre mi padrastro y yo duró un año con la excepción de dos encuentros breves.

En retrospectiva, puedo ver la importancia de aquel paso. Era como si hubiera andado durante años con una herida abierta infligida sobre mí por mi padrastro. Durante breves períodos de separación de él, la herida, aunque todavía era real, no dolía tanto. La anticipación de verlo otra vez y la reunión misma cara a cara quitó la costra que había empezado a formarse y derramó sal en la herida. Su rechazo y negación solamente intensificaron el dolor. La separación me dio tiempo de ganar fuerza y permitir que la herida empezara a curarse desde dentro.

La separación era sólo el primer paso de los tres imprescindibles para llegar a una confrontación. El segundo paso no era tan premeditado como el primero, pero la importancia de él se me aclaró con el tiempo.

En el otoño de aquel año, me apunté a un estudio bíblico para mujeres en nuestra iglesia que estaba usando la guía de estudio de Verna Birkey, *Tú eres muy especial*. Pasamos cinco meses identificando quiénes éramos a los ojos de Dios. El libro de Birkey me mostró pasaje tras pasaje que Dios me valoraba, que me había escogido y que era Su «tesoro especial». Aunque llevaba casi veinte años de creyente, este concepto me tocó de verdad por primera vez. Vi que para poder amar a mi marido y a mi hija en la manera que quería, tenía que empezar a amarme a mí misma. Esto revolucionó mi pensamiento y mis acciones. No me di cuenta en ese momento, pero Dios sabía que necesitaba una nueva imagen de mí misma. A través de Su Palabra y de elecciones que hacía diariamente, mi autoestima mejoró. Realmente empecé a caerme bien e incluso podía aceptar un cumplido amablemente.

Empecé a creer la Palabra de Dios seriamente y aceptar Su amor incondicional por mí. Este primer paso se convirtió en mi «cimiento», aunque para una víctima, este proceso es difícil de iniciar. Había *confiado* en alguien que tenía que amar y protegerme. Pero esta confianza se había traicionado y me dejó deshecha. Al principio, me costó llegar a Dios a causa de mis preguntas sobre la fidelidad de Dios. A veces era simple disciplina mental lo que me mantenía aferrada a la verdad de Dios.

Después de nuestro estudio bíblico sobre el valor propio, decidimos estudiar el libro de Myrna Alexander, *Behold your God* (He aquí tu Dios),[4] un estudio sobre los atributos de Dios. El Señor sabía que necesitaba restaurar la imagen que tenía de mí misma, pero que también necesitaba restaurar una imagen correcta de Él. A través de este estudio de Su Palabra, vi cómo había estado equivocada sobre la persona de Dios. Había transferido las características de mi padrastro humano a mi Padre celestial. ¡No era ninguna maravilla que cuando pecaba sentía que el Señor me iba a castigar al instante! Veía cada cosa mala que ocurría en mi vida como un castigo de Dios. ¿Cuántas de nosotras pensamos sobre nuestro Dios en estos términos humanos? ¡Sí, Dios en Su gracia sabía que necesitaba una nueva imagen de Él! Como dice Pablo en Filipenses 3:10, nuestra meta debe ser «conocerle [a Él]». Por medio de las nuevas imágenes de mí misma y de Dios, empecé a ver las circunstancias pasadas y presentes en mi vida desde una nueva perspectiva. Al final, fui capaz de entender que Dios no dirigió el trauma del pasado, sino que por Su soberanía y gracia podía tomar aquel trauma, redimirlo y convertirlo en triunfo.

El tercer paso también fue muy difícil de tomar. Aunque había progresado en las áreas de mi imagen de mí misma y de Dios, todavía experimentaba mucha depresión. Parecía que aumentaban los enfados hacia mi marido y frecuentemente sentía fuerte ira hacia mi hija pequeña.

Un día de primavera hicimos planes para ir a la playa. Cuando yo todavía estaba en la cama, mi marido despertó a nuestra hija, la vistió y empezó a darle el desayuno. Saludé a mi marido aquella mañana diciendo: «Le has dado demasiado cereal.» Durante todo el día criticaba cada cosa que hacía. «¿No me puedes ayudar a cargar el coche?» «¿Por qué estamos aparcando tan lejos?» «¿La tienes que meter en el agua *ahora*?» «Mírala. ¿Cómo has podido dejarla ponerse llena de arena antes de la comida?» «¿Por qué estás parando aquí? ¡Sólo quiero llegar a casa!» Al final del día mi querido marido se sentía como si hubiera estado en la Segunda Guerra Mundial y hubiera perdido. Yo era consciente de cuán infeliz le hacía. Sin embargo parecía que era incapaz de cambiar.

A menudo escuchaba un programa de radio cristiano en el que se dan consejos a mujeres con diferentes problemas. Con frecuencia, el locutor recomienda que las que llaman busquen ayuda profesional de un cristiano *especializado* en su problema, o que encuentren un grupo de apoyo especializado. Para mí se encendió una luz. Sabía que había llegado a un callejón sin salida y que era el momento de buscar ayuda. Seguí el consejo del locutor y busqué una referencia para un terapeuta especializado en la área del incesto. Ya que nuestra situación económica era apretada, fue un gran sacrificio para nosotros como familia. No obstante, después de hablar con el terapeuta y con mi marido, decidimos que era una inversión para nuestro futuro. Ahora, mirando atrás, verdaderamente ha sido una de las mejores inversiones que hemos hecho jamás.

A través de la terapia, aprendí que la confrontación era un ingrediente necesario para mi recuperación. Aunque había protestado al principio, sabía que esta confrontación tenía que ocurrir. El terapeuta y yo pasamos algunas semanas hablando sobre muchas de las cosas que hemos presentado aquí. Hablamos sobre a quién hay que confrontar, cuándo y qué debe incluir.

Como ya me había preparado a través del paso de la separación, el comienzo de una nueva imagen de mí misma y una imagen correcta de Dios, y a través de algo de terapia especializada, por fin estaba preparada para la confrontación.

¿Qué debe incluir la confrontación?

En la terapia, se hizo evidente que al principio tenía que confrontar a mi madre con estos asuntos. Durante el año de la separación, la vi cinco veces. Ella sabía que estaba en terapia. Después de hablar por teléfono, le mandé literatura sobre el incesto y le dije que la leyera. Le dije que iba a reunirme con ella pronto para hablar sobre lo que había ocurrido en mi vida y de algunos asuntos que la afectaban.

Antes de verla, me senté e hice una lista de todas las cosas por las que pensaba que era responsable. Éstas incluían maneras en que había preparado el escenario para el incesto y también asuntos no directamente relacionados con el mismo. Mi madre fomentó una actitud de secreto, aconsejándonos no pedir permiso para hacer cosas a mi padrastro hasta que fuera el «momento oportuno». Me animó a ducharme con mi padrastro antes de ser adolescente. Jugaba el papel de mediadora entre mi padrastro y todos nosotros y era ejemplo de comportamiento manipulador que estaba al borde del engaño. Hablé abiertamente sobre todas estas áreas con ella, compartiendo lo destructivas que habían sido en mi vida de pequeña y cómo las había llevado a mi vida de adulta como esposa y madre. Para muchas víctimas, incluyéndome a mí, nuestra ira contra nuestra madre tiene que ver con su incapacidad o falta de voluntad para protegernos.

Una víctima recuerda que cuando relató a su madre los avances de su padre, su madre se encogió de hombros, diciendo que «los hombres siempre serán hombres». La madre de otra víctima se negó a creerla y, básicamente, culpó a la víctima por actuar de manera seductora. Hubieron algunas madres que genuinamente eran inconscientes de lo que ocurría en la casa. Sin embargo, no eran tampoco conscientes de las señales dadas por la niña y en realidad se habían tapado los ojos con anteojeras.

Al confrontar al agresor o a otro contribuyente, es necesario tener un plan. Yo tenía dos bosquejos básicos que usé al hablar con mis padres individualmente. El primero era muy sencillo. Quería comenzar con el *propósito* de nuestra conversación. Segundo, presenté el *problema*, pasado y presente. Tercero, compartí el *plan* para su resolución. Pedí a mi madre que se reuniera conmigo una tarde y empecé compartiendo mi propósito. Expliqué que deseaba resolver algunos asuntos del pasado y que por eso pedía su apoyo. Hablamos brevemente sobre los materiales de incesto que le había mandado y compartí con ella los problemas pasados y presentes creados por el incesto. Enumeré en detalle las áreas en las que sentía que era responsable. Aunque se resistió un poco, yo continuaba afirmando su responsabilidad en los eventos del pasado y la necesidad que tenía de aceptar su responsabilidad. Al final, expliqué que una resolución total se podía conseguir confrontando a mi padrastro y que por eso apreciaría su apoyo y cooperación. Le dije que me reuniría con los dos juntos dos días después y le pedí que se lo comunicara a mi padrastro.

¿Cómo se puede conseguir?

La tarde anterior al día que tenía que verlos, llamé por teléfono para confirmar la visita. Mi madre contestó y le pregunté si a las diez de la mañana les iría bien. Se disculpó un momento del teléfono y volvió, diciendo: «Tu padre tiene planes y no va a estar en casa.» Era obvio que ella no había hecho lo que yo le había pedido. ¡Yo estaba enrabiada! Colgué el teléfono y me di cuenta de que él estaba intentando tener el control otra vez. Hablé con mi marido un momento e inmediatamente volví a llamar. Mi madre contestó otra vez y pedí hablar con mi padrastro. Dijo: «No creo que sea una buena idea.» Insistí. Cuando se puso al teléfono, le dije con tranquilidad y firmeza: «Papá, ¿lo que tienes que hacer es tan importante que no puedes hacerlo en otro momento?»

Simplemente dijo: «Lo siento. Tengo otro planes.»

Repetí la pregunta.

Otra vez dijo: «Estoy ocupado.»

Al final dije: «Papá, ¿te niegas a verme?»

Ya en ese momento, estaba agitado: «Pues, llevo semanas con la intención de llevar a tu hermano a la ferretería, pero si tienes que venir, supongo que puedo estar aquí.» Continuó con una frase típica de él: «De todas maneras, no sé por qué tenemos que hablar de esto. Pensaba que eras bastante buena cristiana como para haber perdonado o olvidado esto ya.»

En vez de distraerme por su intento de echar la culpa, con calma respondí: «Papá, hablaremos sobre todas estas cosas mañana.» Hasta cierto punto estaba aliviada. Había afirmado mi posición de fuerza y había tomado el control. Llamé a una amiga y le pedí oración por mí para el día siguiente. Oré por conocimiento y comprensión para responder a la declaración acusatoria de mi padrastro.

Había pasado mucho tiempo preparando la confrontación con mi padrastro. Ya que había fracasado tres veces antes, estaba ansiosa. Sin embargo, sabía que el Señor había preparado el camino.

El «cómo» de la confrontación era tan importante como el «qué». Saqué mi segundo bosquejo, específicamente diseñado para mi padrastro, de un estudio bíblico sobre Filemón que había oído de Florence Littauer. Sabía que sería necesario empezar de manera positiva para que mi padrastro no levantara sus defensas. Así que, empecé con un *cumplido.* Ya que mi padrastro era cristiano, asistir a la iglesia cada semana era una actividad habitual en nuestro hogar. Asistimos a una iglesia fundamentalista que creía la Biblia y era allí donde recibí a Cristo. Le dije a papá que estaba agradecida porque si no hubiera sido por su influencia, quizás no hubiera conocido a Jesús. Le di las gracias por ayudarme a buscar la excelencia y por dos o tres otras áreas en las cuales él había sido de especial ayuda. Después de los *cumplidos*, *confesé* incidentes específicos en los que había sido crítica y antipática hacia él y le pedí perdón. No di más detalles de ninguno de esos puntos pero los utilicé para preparar un ambiente positivo. Entonces seguí dando respuesta a la declaración que había hecho la noche anterior por teléfono. Dije: «Papá, sabes que dijiste anoche que pensabas que era bastante buena cristiana como para haber olvidado todo esto. He orado sobre esto y el Señor me ha dado una respuesta. El Señor podría haber curado a aquella niña pequeña de diez años instantáneamente si quisiera. Pero ¿sabes?, no lo hizo. Me permitió llevar esta carga durante casi veinte años para que hoy pudieras experimentar Su perdón al mismo tiempo que te ofrezco mi perdón.»

Tercero, le *confronté* con sus acciones. Compartí con él brevemente que había confrontado a mamá en las áreas de sus responsabilidades. Entonces hablé sobre el primer incidente incestuoso. Inmediatamente respondió negando, diciendo: «No me acuerdo.»

Respondí firmemente: «No importa si lo niegas o no. Sí abusaste de mí sexualmente. Yo sí me acuerdo de lo que sucedió. Me ocurrió a mí. Soy la víctima.»

Seguí describiendo el evento en detalle. Le pregunté si se acordaba de abusar sexualmente de mi hermana mayor. Se puso blanco y en voz baja dijo: «Sí me acuerdo de aquello.»

Dije: «Bien. No estoy aquí para confrontarte sobre sus asuntos, sino por los míos. Le dije que él era *totalmente* responsable por lo que había ocurrido y que yo era inocente. Cuando me cortó, le dije que no había acabado aún y que tendría una oportunidad de responder cuando hubiera acabado. Compartí todos los síntomas pasados y presentes que había experimentado y le di un ejemplo de cada uno. Le dije que era responsable por aquellos también. Por ejemplo, tenía dificultad en ser abierta y sensible sexualmente con mi marido. Por supuesto, la raíz era el incesto. Mi autoestima era muy baja y me acuerdo de que una vez me dijo que nadie tendría interés en mí simplemente por mí misma, sino que siempre tendría motivos sexuales ocultos. Le compartí sobre mis pesadillas, depresión, sentimientos de culpabilidad, ira y espíritu crítico. Expresé mis sentimientos sobre un incidente en la iglesia la noche que acepté a Cristo a los diez años. Mi hermana y yo habíamos ido a la iglesia solas. Durante el culto sentí la llamada del Espíritu de Dios en mi corazón y levanté la mano a la invitación, indicando mi deseo de conocer a Cristo como mi Salvador. El pastor animó a aquellos que habían hecho una decisión de ir a la sala de oración. Como resultado, mi padrastro tuvo que esperarme en el coche. Cuando llegué al coche, preguntó enfadado: «¿Dónde has estado?»

Con gozo exclamé: «Papá, ¡hoy he pedido a Jesús que entrara en mi corazón!»

Su respuesta fría e insensible resonó en mi cabeza durante años: «¿Por qué no *esperaste* hasta que tu madre y yo estuviéramos allí?» Había convertido la decisión más importante de mi vida en algo negativo. Mientras compartía este incidente, yo estaba llorando, y por primera vez en años, él empezó a llorar. Seguía compartiendo varios ejemplos de su actitud general de rechazo hacia mí en los años recientes y cuán devastador había sido para mí.

Después de pasar alrededor de una hora y media con las etapas de los cumplidos, la confesión y la confrontación, empecé a compartir mi cuarto punto. Le dije que mi deseo era resolver completamente estos asuntos en mi vida, pero para poder hacerlo él tenía que asumir total responsabilidad por lo que había hecho. Le dije que yo ya no iba a llevar esa carga más. Por fin, expresé que estaba dispuesta a *comprometerme* a reconstruir nuestra relación. Con cariño dije a mis padres que deseaba su amor y apoyo para mí y para sus nietos. Sin embargo, les recordé que tenían que asumir un papel activo en restaurar nuestra relación si iba a mejorar, y que requeriría tiempo. Mi padrastro, por primera vez en veinte años, me miró directamente a los ojos y dijo: «Jan, tengo la culpa de todo. Acepto plena responsabilidad por todo lo que ha ocurrido. ¿Me perdonas?»

Empecé a llorar, corrí y abracé a mi padre y grité: «Sí, te perdono.» En este momento, la ansiedad, ira y animosidad hacia él desaparecieron. Por fin el perdón estaba a la vista. La presencia del Señor estaba allí aquel día. Era el principio de una fase positiva en mi vida. Tuve la sensación de haber llegado a una nueva etapa en mi curación y supe que lo mejor estaba por delante.

¿Siempre funciona la confrontación?

Algunas de vosotras probablemente estaréis diciendo: «¡Qué bien para Jan! Pero me apuesto a que no siempre sale de esta manera.» Tienes razón. Muchas veces el agresor sigue negando su responsabilidad. Entonces, ¿qué haces? Creo que la curación es posible para todas las víctimas, si han confrontado o no y sin tener en cuenta la respuesta del agresor. Permíteme tratar la última situación primero. Para resolver los asuntos, es absolutamente imprescindible que la víctima los resuelva dentro de *sí misma*. Es por eso que la tarea preliminar de separación, llegar a una posición de fuerza, trabajar sobre la imagen de sí misma y de Dios es tan importante. La confrontación valida lo que la víctima ya sabe que es verdad. Sin embargo, su curación no depende de la respuesta del agresor. Imagina que has llevado una carga sobre tus espaldas durante años. Al fin te das cuenta de que has llevado esta carga en lugar del agresor y decides que ya es el momento de descargarla. En la confrontación, quitas la carga de tu propia espalda y la pones a sus pies. No tienes que esperar a ver si la coge. Recuerda, ya no es tu responsabilidad llevarla.

Sé de una mujer que confrontó a su padre, pero encontró rechazo. A pesar de su reacción, se fue libre porque ya lo había resuelto dentro de sí misma. Aunque su padre todavía lo negaba y no tenía interés en una reconciliación, ella podría experimentar curación porque había hecho su parte.

Cuando el agresor niega la verdad, la víctima tiene que decidir si debe continuar la relación o no. Recomiendo que declare claramente que su rechazo hace obvio que no tiene interés en una reconciliación.

Quizás puede seguir diciendo: «Hasta que no estés dispuesto a afrontar tu responsabilidad, no puede existir una relación.» Bajo estas circunstancias, la decisión se queda en manos del agresor. La víctima ya ha resuelto el asunto, pero debido a la decisión del agresor, es imposible reconciliar la relación.

La confrontación es un asunto individual y los resultados pueden variar. La curación es posible aunque una confrontación cara a cara no ocurra, pero puede tardar un poco más. Por cierto, nuestro Señor no restringe la curación sólo a las que confrontan directamente. Si fuera así, la víctima cuyo agresor hubiera fallecido estaría sin esperanza. A través de métodos de confrontación alternativos, como representación de un papel y otras técnicas terapéuticas, se puede conseguir la curación.

A la mayor parte de las víctimas, las animo a la confrontación, especialmente a aquellas que están en contacto directo o indirecto con sus agresores. Recomiendo una reunión personal en vez de una carta. Muchas víctimas han usado una carta con eficacia junto con una confrontación personal como una convalidación de lo que se ha hablado.

Una mujer joven y tímida en mi grupo de apoyo tuvo muchas dificultades sobre este asunto de la confrontación. Finalmente, decidió telefonear a su padre, que era el agresor, y decirle que ya estaba harta. «Estoy pagando por terapia individual y asistiendo a un grupo de apoyo a unos 60 kilómetros de distancia. Como resultado, mi marido y yo estamos bajo fuertes presiones económicas.» Con una voz firme, más fuerte de lo normal, usó palabras que sabía que su padre entendería, entonces concluyó: «Y para colmo, ¡estoy prácticamente frígida por culpa tuya!» Por primera vez, su padre admitió su abuso. Se ofreció para pagar por su terapia y parecía que se daba cuenta de que era responsable por aquella compensación porque la había dañado.

Recuerda, la confrontación es poner los asuntos enfrente de una persona y se debe hacer con la meta de la reconciliación. La confrontación es necesaria para poner la responsabilidad en las manos de los dueños legítimos. Es bíblica y puede beneficiar al agresor tanto como a la víctima. Finalmente, es un medio de romper la cadena incestuosa. Hemos visto que la confrontación involucra no solamente al agresor, sino también a cualquier otra persona que fue un contribuyente.

Hemos hablado en detalle sobre la importancia de cuándo debe ocurrir la confrontación y los pasos preliminares que son muy importantes. Desarrollar tu posición de fuerza es imprescindible. La separación del agresor también puede ser un ingrediente necesario. Poner una nueva base para tu imagen de ti misma y una imagen correcta de Dios son imprescindibles para el éxito. Finalmente, buscar terapia especializada o participar en un grupo de apoyo puede proveer la ayuda adicional que necesitas.

Hemos detallado que el plan de la confrontación debe incluir un propósito, una descripción del problema y la presentación de un plan. El cómo de la confrontación se consiguió manteniendo presente la necesidad de cumplimentar y confesar en un intento de preparar un ambiente positivo para la confrontación.

La confrontación misma era específica, detallando el incidente incestuoso tanto como cualquier otro efecto secundario sintomático por el cual el agresor era responsable. Finalmente, había el deseo expresado para un nuevo compromiso que resultaba en curación para la víctima y el agresor.

Muchas de las víctimas con las cuales trabajo me preguntan: «¿Algún día estaré completamente curada? ¿Algún día disminuirá el dolor emocional? ¿Algún día podré perdonarle por lo que me ha hecho?» A todas estas preguntas doy una respuesta inequívoca: «¡Sí! Después de confrontar al agresor, habrás dado un gran paso adelante. El camino del perdón está delante tuyo. Si sientes que todavía no estás andando por el camino, anímate. No estás sola.»

PENSAMIENTOS PRÁCTICOS

1. Escribe lo que quisieras decir en la confrontación. Acuérdate de ser específica sobre el incidente y de detallar los efectos secundarios que has experimentado como resultado, por ejemplo, problemas sexuales en tu matrimonio, baja autoestima, depresión, etc. Lee el papel a tu terapeuta o a una persona entendida de confianza para buscar dirección. Haz cualquier ajuste necesario. Ora para que el Espíritu Santo te dé discernimiento sobre el momento apropiado. Practica la confrontación varias veces enfrente del espejo o en la presencia de otra persona.

Mira lo que tu lenguaje corporal está comunicando. Es importante que tu lenguaje corporal sea consistente con tu mensaje verbal.

2. Lee 2º Samuel 12. Permite que el Espíritu Santo te hable sobre los beneficios de una confrontación. Recuerda que aun después del pecado, a David todavía se le conoce como un «hombre tras el corazón de Dios».
3. Memoriza Salmo 29:11 y Salmo 31:24.

Capítulo 9

Paso VIII. RECONOCER EL PERDÓN

Perdonar y olvidar. ¡Una meta alta! ¿O no? Un conferenciante cristiano dijo: «El desafío no es perdonar y olvidar. El verdadero honor es para aquel que tiene la capacidad de perdonar y aún recordar.»

Las mujeres a las que aconsejo me vienen con diferentes niveles de desesperación. Pastores, diáconos y cristianos con buena intención les han aconsejado simplemente perdonar. Sus consejeros les han asegurado que una curación instantánea de sus emociones ocurrirá. Desafortunadamente, no siempre es el caso. Cuando no hay evidencia de tal curación milagrosa, estos consejeros rápidamente indican que la persona herida sin duda es responsable. Para la víctima se convierte en un círculo vicioso.

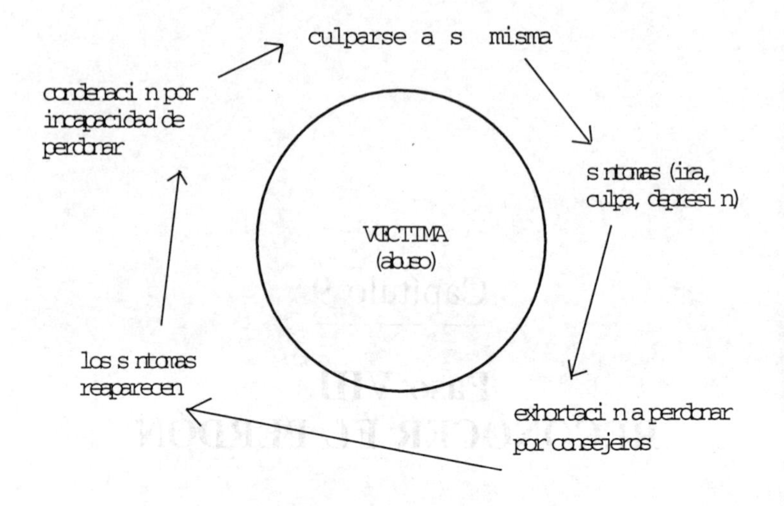

El perdón, como muchas otras áreas en nuestra vida cristiana, es un proceso. Puede ser que verdadera y totalmente puedas perdonar a tu marido por una frase desagradable un minuto después de que lo haya dicho. Para otras mujeres requiere más tiempo. Mientras más profunda la herida infligida, más largo es el proceso de perdón. Esto no quiere decir que tienen libertad de mantener la amargura, ira y resentimiento. Quiere decir que mientras más serio sea el daño infligido, más tiempo se requiere para resolver las emociones hasta llegar a la meta final del perdón.

Donna vino a nuestro grupo de apoyo una tarde, ansiosa de una oportunidad de compartir un nuevo descubrimiento. Contó la siguiente historia:

> «Me deprimí la semana pasada después de una sesión de consejería con mi pastor. Por fin tuve el coraje de compartir con él todos los eventos relacionados con mi trasfondo. Había sido forzada sexualmente desde los siete hasta los quince años por varios hombres que mi

madre traía a casa. Había sido violada repetidamente por mi tío y algunos primos y obligada a tener un aborto a los quince. Compartí con mi pastor cuán devastadores estos eventos habían sido para mi matrimonio y sobre la depresión que, a veces, parecía insuperable. Cuando le dije de la ira que tenía hacia mis hijos y mi marido, las pesadillas y mi incapacidad de confiar en mi marido, me interrumpió. De manera abrupta declaró: "Donna, el problema es obvio. No has perdonado a aquellos que te han ofendido. Si ahora mismo perdonas a aquellas personas que de alguna manera te han dañado, te recuperarás de todos aquellos síntomas que estás describiendo." Quería perdonar. De hecho, pensaba que había perdonado, pero todavía experimentaba aquellas mismas dificultades. Me fui con un sentimiento de derrota. Pensaba que simplemente no era bastante espiritual. Mi destino era vivir en esclavitud. Mientras iba al trabajo el lunes siguiente, pedí al Señor que me enseñara algo respecto al perdón. ¡Vaya! ¡Qué sorpresa tuve cuando respondió aquel mismo día! Soy enfermera y trabajo en la sala de urgencias. Un joven ingresó aquel mismo día. Le había pillado un camión y sufrió una fractura compuesta de la pierna. El hueso salía de la piel, roto por varios sitios. Requirió tres médicos y tres enfermeras durante cuatro horas para poner el hueso del joven en una posición para curarse. El proceso de recuperación podía durar entre cuatro meses y un año. Aun entonces, el joven podría tener alguna dificultad al andar y podría requerir algunos meses más para conseguir el uso normal de la pierna lesionada. Mientras miraba a este chico con la pierna enyesada, me di cuenta de que el Señor lo estaba usando para mostrarme algo profundo. Nadie en ningún momento se había acercado a aquel joven diciéndole: "Hijo, tengo buenas noticias para ti. Solamente tienes que perdonar al hombre que conducía el camión e instantáneamente serás curado." Nadie sería tan necio, y sin embargo, ¿cuántos de nosotros miramos una fractura emocional de la misma manera simplista?»

Mientras Donna compartía aquella respuesta personal a la oración, observamos un nuevo sentimiento de libertad en los miembros del grupo. Muchas habían estado tan cargadas de culpa sobre su incapacidad de perdonar que impedían su proceso de curación total. Nuestro grupo de apoyo tenía la misma función con cada víctima que los médicos y enfermeras tuvieron con el joven paciente. No podríamos curarlas, pero sí podríamos poner a las víctimas en el proceso de curación. Los médicos pusieron la pierna del joven en su sitio, pero no podían curarla. Marcamos un curso de apoyo mutuo, pero cada mujer se recupera a su propio ritmo. El Espíritu Santo es el único que sana nuestras vidas. ¡Debemos asegurar que estamos en una posición de recibirlo!

Asuntos de familia

Una nueva parte de mi recuperación personal estaba a punto de comenzar. A causa de mi ministerio público con víctimas de incesto y a una próxima aparición en *El Club 700*, los miembros de mi familia tenían que saber lo que yo hacía. Mis padres habían indicado anteriormente que no querían que Jim, mi hermanastro de veintiún años, se enterara del abuso sexual. Ya que a Jim nunca se le había dicho la verdad, tenía una serie de pensamientos erróneos sobre por qué mi hermana Kathy se había marchado de casa tan repentinamente cuando él tenía cinco años y por qué mi padrastro y yo siempre habíamos tenido una relación difícil. Ya que mi hermano había acabado sus estudios universitarios y recientemente había vuelto a comprometer su vida con Cristo, empecé a orar sobre si debería informarle del abuso o no. Después de algunos meses de oración y consejería con otros, creí que era un paso necesario. Sin embargo, no podía permitir que mis padres supieran que se lo iba a contar o se acercaran a él primero para minimizar la seriedad de aquellas situaciones.

Cuando preparé una ocasión para hablar con mi hermano, mi nivel de ansiedad era muy alto. ¿Qué le haría? ¿Qué pensaría de mí? ¿Y de papá y mamá? ¿Qué tipo de reacción tendría? Aunque estas preguntas me preocupaban, sentí una paz interior. Sabía que Dios me estaba guiando. Mientras me reuní con Jim en mi cocina un día de primavera, empecé con oración y entonces compartí lo que Dios había estado haciendo en mi vida. Conté a Jim cómo Dios me había usado para formar y guiar grupos de apoyo para mujeres, cómo Dios había hecho una obra de curación emocional tremenda en mi vida y cómo iba a salir en *El Club 700* para hablar sobre aquella curación.

Entonces, delicada y suavemente, dije: «Jim, quizás estás pensando qué tiene que ver esta información contigo. Cuando tenía diez años, papá abusó sexualmente de mí.» Instantáneamente las lágrimas brotaron de sus ojos y la ira llenó su cara. Antes de tener una oportunidad para contestar, seguí: «Jim, no quiero dañarte, pero tienes el derecho de saber estas cosas. Primero, mi ministerio se está expandiendo de tal manera que quizá te enteres por medio de terceros y no quiero que esto pase. Segundo, porque algún día quizá te cases y tengas hijos, debes ser consciente de que papá nunca ha buscado ayuda sobre su problema y tiene la capacidad de abusar otra vez. No podría vivir con mí misma si no te hablara sobre esta posibilidad. También es por eso que no dejaré a mis hijas a solas con él y mamá. Tercero, a causa del ambiente en que te has criado, tú también tienes el potencial de abusar sexualmente de tus propias hijas.»

Su respuesta inmediata fue comprensible: «Si apareces en televisión, puedes arruinar sus vidas.»

En vez de defenderme, simplemente dije: «Entiendo lo que debes sentir.» En los siguientes minutos compartí la motivación detrás de mis acciones. Expliqué que mi intención no era difamar a nuestros padres en ninguna manera, sino ofrecer esperanza y curación a miles de otras mujeres forzadas. Compartí 2ª Corintios 1:4 que dice que Dios «nos consuela en todas nuestras tribulaciones, para que nosotros podamos consolar a los que están en cualquier tribulación, por medio de la consolación con que nosotros mismos somos consolados por Dios.» Le conté los detalles de cómo Dios me había guiado a este ministerio y cómo esto podría ser una oportunidad de restaurar nuestra familia. Hablamos sobre el momento oportuno para decir a nuestros padres que Jim conocía el pasado. Decidimos que era mejor que yo me acercara primero a ellos con una visita y que después Jim hiciera otra. Le animé a afirmar su amor a nuestros padres, recordando a Jim que mi meta era unir nuestra familia, no dividirla. Jim respondió diciendo: «Si tú puedes perdonar a papá por lo que te ha hecho, por supuesto, yo también puedo.» Desde aquel día hasta hoy, los dos tenemos una relación más profunda que nunca.

Después, fui a ver a mis padres. Nos sentamos en el salón; compartí cómo el Señor me había guiado a los grupos de apoyo y a dar conferencias. Les hablé sobre la próxima aparición en *El Club 700* y cómo el Señor estaba usando los traumas y curación en mi vida para ofrecer esperanza a otras. Expresé mi preocupación por ellos debido a mi ministerio público, pero con confianza declaré que quería ser obediente a lo que el Señor estaba poniendo en mi corazón. Les aseguré que mi énfasis no era en lo que había ocurrido, sino en lo que Dios había hecho a través del proceso de curación. Les dije que había grabado una cinta para «Word Publishers» que incluía mi testimonio y pasos para la curación. Abiertamente compartí que, aunque era específica en nombrar a mi padrastro como el ofensor y compartía algunos detalles sobre el papel de mi madre, siempre tuve cuidado de no mencionar ni lugar ni nombres.

Hice una pausa y ofrecí a mis padres una oportunidad de responder. El comentario de mi padrastro fue: «Tienes que hacer lo que tienes que hacer.» Mi madre con renuencia respaldó su respuesta.

Les dije que ya había informado a mi hermano de la situación. Papá y mamá inmediatamente estallaron en lágrimas. En el pasado, esta reacción me hubiera hecho sentir culpable, pero a causa de mi nueva fuerza fui capaz de continuar. Compartí con mi padre que cada vez que había orado por él durante los últimos años, el Señor me había mostrado la imagen de un niño pequeño llorando en un armario oscuro. Dije: «Papá, no estoy segura de lo que significa, pero creo que tú lo sabes.»

Las lágrimas fluyeron por su cara. Era claro que Dios había originado aquella imagen mental. Mi padre entonces me relató algo que había mantenido guardado durante años. «Precisamente ayer le dije a tu madre lo que me ocurrió cuando tenía catorce años. Fui forzado sexualmente por el director del grupo de jóvenes en nuestra iglesia. Nunca lo he podido olvidar.»

Entonces hablé directamente a mi padre sobre el perdón. Papá me había dicho en la confrontación original que había estado clamando durante años que el Señor le perdonara. Aproveché la oportunidad para decir a papá que la razón por la que no había experimentado el perdón era porque no había seguido la exhortación bíblica en Mateo 5:23, 24: «Por tanto, si estás presentando tu ofrenda sobre el altar, y allí te acuerdas de que tu hermano tiene algo contra ti, deja allí tu ofrenda delante del altar, y anda, reconcíliate primero con tu hermano, y entonces ven y presenta tu ofrenda.»

Cuando le había confrontado y él me había pedido perdón, nos reconciliamos. Sin embargo, nunca había ido a mi hermana mayor, Kathy, para pedirle perdón. Conté en palabras parecidas la siguiente historia del libro de Chuck Swindoll, *Mejorar tu servir*,[1] a mi padrastro:

> «Digamos que estoy saliendo con mi coche del aparcamiento de tu iglesia la mañana del próximo domingo.

Doy marcha atrás y choco contra el lateral de tu precioso Mercedes 450 SEL. ¡Poum! Estás hablando con amigos después del culto y oyes el ruido. Tu estómago da vueltas mientras me ves salir del coche, mirar el daño e inclinar mi cabeza para orar: "Señor, por favor, perdóname por estar tan preocupado y torpe. Y por favor, da gracia a Juan cuando vea los graves daños que he causado a causa de mi negligencia. Y provee para sus necesidades cuando lleve a reparar este coche. Gracias, Señor. Amén." Desde mi coche, saludo y sonrío ampliamente mientras grito por la ventana: "Todo va bien, Juan. He declarado los daños delante de Dios. La gracia es maravillosa, ¿verdad?"»

Le dije a papá cuán necesario era que él fuera a aquel que había ofendido. Le animé a no hacerlo por mí, sino orar y depender de la guía y momento de Dios. Pasé el resto del tiempo animando a mis padres a buscar consejería para ellos mismos, y les dejé el libro de Josh McDowell sobre la autoimagen, *Su imagen... mi imagen*, para que lo leyeran. Expresé mi amor a los dos y con nuestros ojos llenos de lágrimas, nos abrazamos. Les dije que sabía que Dios deseaba restaurar nuestra familia y que la sinceridad era la clave para aquella restauración.

Dos meses más tarde mi hermana Kathy me telefoneó para decirme que había recibido la llamada telefónica de nuestro padrastro que había esperado por casi veinticinco años. Al teléfono él sollozó: «Por favor, perdóname por todo lo que te he hecho. He estado orando durante algunas semanas y sé que puedo recibir perdón de Dios si simplemente me perdonas.» Kathy casi no podía creerlo. Siempre había esperado que la llamada viniera algún día, pero se había resignado al hecho de que probablemente nunca llegaría.

Contestó: «Lo que has hecho ha afectado seriamente mi vida. Si no fuera por la ayuda de Jan, no hubiera sobrevivido. Hemos empezado a tratar el problema juntas.

Papá, espero que esto sea un nuevo comienzo para nuestra familia que tanto he deseado. Estoy dispuesta a perdonarte.»

Esperé un día y llamé a mi padre para reafirmar mi amor. Dios estaba obrando en nuestra familia y ahora papá podría tener la seguridad del perdón de Dios, ya que había seguido la exhortación bíblica para la reconciliación. Sugerí que nos sentáramos ahora como familia y tuviéramos una reunión familiar, no para volver a recrear lo que nos había ocurrido de pequeñas, sino de una vez y para siempre compartir abiertamente sobre el incesto con todos los miembros cercanos de la familia y esposos. Le dije que la meta simplemente era ponerlo encima de la mesa, ya que todo el mundo lo sabía de todas maneras, y de usarlo como un tiempo de hablar sobre un plan para la restauración. Papá era reticente y reacio. Mi madre era muy resistente y dijo: «No hace falta.» Me frustré e intenté compartir cómo esto podría ser un nuevo comienzo para nosotros como familia. Se puso a la defensiva. La acusé de seguir negando y de no afrontar su propia responsabilidad en toda la serie de eventos. Cuando colgué el teléfono aquel día, estaba convencida de que tenía razón y estaba un poco enfadada sobre su falta de entusiasmo para la reunión familiar.

Mi hermano Jim llamó el día siguiente, y añadió un pensamiento adicional. Él y mis padres habían tenido una discusión que era el catalizador que motivó la llamada de mi padre a Kathy.

Jim dijo: «A mamá y papá no les gusta la idea de una reunión familiar, y según ellos, a Kathy tampoco.»

Pregunté: «Jim, ¿qué piensas tú?»

Respondió: «Les dije que pensaba que era una buena idea.»

Colgué con una sensación de depresión y traición. Pensé que el Espíritu Santo había trabajado en el corazón de mi padre, guiándolo a hacer aquella llamada a Kathy.

Ahora sabía que mi hermano había puesto a mi padre entre la espada y la pared. Me sentí traicionada por mi hermana que, en principio, estaba de acuerdo con una reunión familiar. Obviamente, Kathy había cambiado de opinión. Cuando telefoneó unos días más tarde, le pregunté sobre la reunión familiar y dijo: «Pues, al principio pensaba que era una buena idea, pero ahora simplemente pienso que debemos dejarla.»

Más tarde esa misma semana, recibí la misma respuesta de mi madre. Le dije que no iba a forzar el asunto, pero que creía que sólo era posible lograr la curación poniendo las cosas encima de la mesa. La semana después fue una de las más intensas que jamás he tenido. La mano de Dios era muy dura sobre mí. Había estado leyendo un libro sobre la curación interior y resistiendo algunos de los conceptos presentados sobre el perdón. Pero me abrí bastante como para decir: «Si soy demasiado obstinada o rebelde en esta área, Señor, por favor, muéstramelo. Quiero ser obediente a Ti.» El Señor siempre oye tales oraciones y empezó a hablarme. Puso en mi corazón un entendimiento de cuán rígida era y cómo no estaba mostrando el perdón a mis padres, sino esperando demasiado de ellos.

Mi carne estaba discutiendo con Dios como Jacob luchó con el ángel. «Pero Señor, tengo razón. Tienen que hacer esto. Si muestro cualquier debilidad o comprometo mi posición, pensarán que he cambiado de opinión.» Discutí con Él durante varios días. El séptimo día me desperté con un fuerte deseo de ir a las Escrituras. Inmediatamente me sentí atraída por Mateo 23:4 donde Jesús habla sobre los fariseos: «Pues atan cargas pesadas y difíciles de llevar, y las ponen sobre los hombros de los hombres; pero ellos ni con un dedo quieren moverlas.» Seguí leyendo los «ayes» que Jesús pronunció sobre los fariseos y sentí al Espíritu de Dios diciéndome: «Jan, eres igual que ellos.»

Todavía resistiendo, llamé a una amiga que tenía hijos de mi edad. Sabía que podía ofrecerme consejos sabios de su corazón maternal. Cuando compartí las circunstancias, Alyson, cariñosa pero confiadamente, dijo: «Jan, pienso que tienes que amar a tus padres. Lo que necesitan ahora mismo más que nada es el amor de su hija. Debes amarlos a pesar del hecho de que, desde nuestro punto de vista humano, no lo merecen.»

Estallé en lágrimas. Sabía que tenía razón. Mi carne argumentaba, diciendo: «Pero necesitamos una reunión familiar y si doy marcha atrás, van a pensar que todo va bien.»

Alyson tiernamente preguntó: «Jan, ¿puedes amarlos aun si nunca tenéis esa reunión?»

Le dije: «No lo sé.»

Después de colgar el teléfono, abrí la Palabra y por casualidad, empecé a leer en 2º Crónicas 30. El Espíritu tenía mi lección totalmente preparada. La pregunta era, ¿escucharía yo? Mientras leía aquella porción de las Escrituras, se me empezó a aclarar por qué el Espíritu Santo me había guiado a ella. Ezequías había ordenado la restauración del culto del templo. Estaba intentando restablecer la ley de Dios en Israel y Judá. Junto con la reinstitución de la ley, Ezequías había decretado que el pueblo debería venir a Jerusalén para celebrar la Pascua. En el capítulo 30 estaban preparando la celebración. Cuando leí los versículos 7-9, me llamaron la atención.

> «No seáis como vuestros padres y como vuestros hermanos que se rebelaron contra Jehová el Dios de sus padres, y él los entregó a desolación, como vosotros veis. No endurezcáis, pues, ahora vuestra cerviz como vuestros padres; someteos a Jehová, y venid a su santuario, el cual él ha santificado para siempre; y servid a Jehová vuestro Dios, y el ardor de su ira se apartará de vosotros. Porque si os volvéis a Jehová, vuestros hermanos y vuestros hijos hallarán misericordia delante de los que

los tienen cautivos, y volverán a esta tierra; porque Jehová vuestro Dios es clemente y misericordioso, y apartará de vosotros su rostro, si vosotros os volvéis a él.»

Era evidente que el Señor me estaba llamando a ceder, no a ser de dura cerviz, y el resultado sería Su compasión sobre mi familia. Los versículos 18-20 continúan:

> «Porque una gran multitud del pueblo de Efraín y Manasés, y de Isacar y Zabulón, no se había purificado, y comieron la pascua sin atenerse a lo prescrito. *Mas Ezequías oró por ellos, diciendo*: Jehová, que es bueno, sea propicio a todo aquel que ha preparado su corazón para buscar a Dios, a Jehová el Dios de sus padres, aunque no esté purificado según los ritos de purificación del santuario. Y oyó Jehová a Ezequías, y sanó al pueblo.»

Ezequías sabía que el pueblo no había cumplido lo que tenían que hacer respecto a la purificación. Pero en vez de obligarlos hasta el pie de la letra de la ley, intercedió en su favor.

Mientras me senté humillada delante del Señor aquel día, me mostró mis dos alternativas. Podía quedarme como un fariseo, adhiriéndome a la ley al pie de la letra –lo que sería una posición justificable–, o podía ser un Ezequías, tendiendo un puente para mi familia por medio de la intercesión.

¿Quién eres tú hoy? ¿Eres una persona que se aferra a sus derechos y demanda que otros te respeten y te sigan completamente? ¿O eres un Ezequías que sabe lo que se debe hacer, pero que, por amor, intercede por otros para que puedan recuperarse? Cuando el Espíritu de Dios me tocó aquel día, me postré en el suelo de nuestro estudio clamando a Dios: «Pero Dios, ¡me lo deben!»

La voz fuerte y tierna del Señor sonaba en mi corazón: «Sí, Jan, es así. Pero, ¿estás dispuesta a liberarlos de su deuda?»

Respondí de corazón: «Señor, no sé si lo puedo hacer, pero estoy dispuesta si quieres obrar aquella liberación en mi corazón.»

Concluí aquel día con la lectura de Mateo 18:21-35. Es la parábola del rey que tenía un siervo que le debía un millón de dólares. El siervo clamó por misericordia del rey y las Escrituras dicen en el versículo 27 que el rey fue «movido a la compasión, [y] le soltó y le perdonó la deuda». Aquel mismo siervo se fue y encontró a alguien que le debía unos miserables 15 dólares y exigió el pago instantáneo. El deudor pidió misericordia pero se la negó y lo echó en la cárcel. Otros que observaron los dos incidentes fueron al rey y le contaron cómo el siervo no tuvo compasión. En el versículo 34 leemos: «Entonces su señor, enojado, le entregó a los verdugos.»

Aunque había leído esta parábola muchas veces, tuvo un nuevo sentido aquel día. Tenía que hacer una elección. Podía ser el «señor compasivo» o el «siervo inmisericorde». No había duda de quién quería ser. La liberación vino cuando me arrodillé para interceder por mis padres. Cuando oré por la bendición de Dios sobre ellos, sentí una nueva libertad para mí misma. Mientras me aferraba a aquella amargura y actitud de no perdonar, estaba sujeta a ser «entregado a los verdugos». Ya no quería estar cautiva. Liberé a mis padres de su deuda y me entregué en los brazos de un Señor que está lleno de gracia y misericordia. Aquel día empecé un nuevo compromiso a vivir en la libertad del perdón. Tenía un nuevo deseo de expresar mi amor a mis padres de una manera tangible, mandándoles un vale para cenar en uno de sus restaurantes favoritos. Todavía estoy convencida de que una reunión familiar sería un paso sano hacia la integridad en nuestra familia, pero también estoy convencida de que he de amarlos a pesar de su respuesta.

Esta experiencia me mostró que el perdón es un proceso de cuatro pasos. Primero, tengo que reconocer o confesar el dolor. Segundo, tengo que ceder mi derecho a aferrarse a la amargura, el resentimiento y la ira. Tercero, debo desear una reconciliación. Cuarto, debo invitar al ofensor a reconstruir la relación por medio de mi expresión de amor incondicional y aceptación. Antes de que consideremos las cuatro etapas en detalle, debemos entender que el perdón es un proceso. Muchas veces se exhorta a los cristianos a pasar rápidamente a la cuarta etapa, pero pronto descubren que la aceptación es una tapadera superficial que oculta sentimientos subyacentes que todavía causan dolor.

El Señor usó un evento de hace unos años para mostrarme este concepto. Cuando tenía dieciocho años me quitaron cuatro muelas del juicio montadas. La dolorosa operación requirió anestesia general. El cirujano maxilofacial tuvo que excavar las muelas montadas, lo cual provocó varios días de dolor, hinchazón y dificultades al comer. Algunas semanas después de que bajó la hinchazón, otra vez tuve dolor y molestias. Volví al cirujano para una visita. Examinó mi boca y dijo: «Tienes una bolsa de aire.» Explicó que una bolsa de aire se forma cuando el coágulo de sangre se desaloja y el hueso queda expuesto. En mi caso, una capa de piel se había formado, tapando de manera prematura la herida. Se había curado de manera superficial en el exterior, pero debajo, sangre seca y partículas de comida habían provocado una infección, que fue la causa del dolor. El cirujano abrió la herida otra vez y la limpió. Me enseñó cómo inyectar suero fisiológico en la herida usando una jeringuilla. Me avisó de que sería un proceso lento y doloroso, y que ahora tenía que curarme desde dentro a fuera. Se requirieron varias semanas y muchas sesiones desagradables con la jeringuilla para que las molestias desaparecieran y la infección se curara.

Este proceso es muy parecido a la experiencia que tenemos como víctimas cristianas. La herida se ha incrustado profundamente. Incluso si hemos intentado excavarla algunas veces, tendemos a dejar algún residuo, y taparlo con una capa superficial de perdón aparente. No hemos tomado el tiempo de recuperarnos correctamente, extrayendo todas las emociones y heridas asociadas con la herida. Como resultado, desarrollamos una «bolsa de aire» en nuestra vida. Presentamos síntomas de una herida no curada. Debemos empezar el largo y doloroso proceso de abrir la herida y quitarnos el material infectado, que es el segundo paso en el proceso del perdón. Fallamos en reconocer las señales y vivimos bajo la apariencia de que la recuperación ya ha ocurrido.

En un reciente seminario, Karen Burton Maines habló sobre el tema «Las mentiras». Dijo: «Las ficciones que nos creamos a menudo impiden nuestro crecimiento.»

¿Has creado una ficción? ¿Has aplicado un perdón superficial a un dolor del pasado? ¿Se ha desarrollado una «bolsa de aire» en tu vida? ¿La destaparás e intentarás quitarte la infección interna? Hasta que no lo hagas, una recuperación completa no puede ocurrir.

Muchas de nosotras no estamos dispuestas a perdonar. En parte es porque realmente no entendemos que es un proceso. Nuestra renuencia también viene de una mala interpretación de lo que es el perdón. Muchas piensan que es decir al ofensor: «Lo que has hecho está bien.» A causa de esa mala interpretación, muchas personas encuentran imposible ofrecer el perdón.

Miremos ahora cuidadosamente cada paso del proceso. Como hemos visto en Mateo 18, el perdón lleva la idea de «mandar fuera» o «soltar» una liberación. ¿Qué es lo que la persona ofendida suelta? Cede su derecho de aferrarse a la ira, la amargura y el resentimiento. Libera al ofensor de la deuda. Esto de ninguna manera significa que la víctima ha condonado o incluso justificado las acciones del ofensor. Más bien la víctima cede su derecho de aferrarse a algunas emociones justificadas evocadas por el ofensor y sus acciones.

Para que esta liberación ocurra, la persona ofendida primero debe reconocer la posesión de tales emociones. Por eso es tan necesario que la víctima reviva los sentimientos asociados al ser forzada.

En *La curación de los recuerdos*, David Seamands escribe: «Porque cuanto más procuramos mantener los recuerdos tristes fuera del área consciente, más poderosos se vuelven. Como no se les permite entrar por la puerta de la mente directamente, entran en nuestra personalidad (cuerpo, mente y espíritu) en formas disfrazadas y destructivas.»[2] El primer paso para romper la esclavitud de nuestro pasado es reconocer o confesar el dolor.

Reconocer/confesar el dolor

En la comunidad cristiana de alguna manera hemos fracasado en incorporar el reconocimiento de nuestro dolor como una parte esencial del perdón.

Imagina que te enteras por una amiga que Carmela Calumnia, una mujer en tu estudio bíblico, ha revelado información personal que compartiste con ella en confianza, distorsionando la información y dañando tu reputación. Te enteras de que lo ha hecho a pesar de tu amistad con ella durante los últimos tres meses. Estás enfadada y herida. No puedes creer que repetiría aquellas conversaciones íntimas, ni mucho menos mentir sobre los detalles. Sin embargo, cuando ves a Carmela la evitas, sonriendo dulcemente en el exterior mientras estás hirviendo por dentro. Un martes por la mañana, Carmela se acerca a ti. Te dice lo que ha hecho y te pide perdón con sinceridad. Respondes bastante rápidamente: «Pues, no pasa nada. No tiene importancia. Sigamos siendo amigas.» En tu mente te dices que estás actuando como lo «hacen los buenos creyentes», perdonar setenta veces siete.

Hay varios elementos destructivos en esta situación. Primero, hay una negación total del intenso daño e ira que experimentaste. Al no reconocer este daño abiertamente con Carmela, has abierto la posibilidad de brotar una raíz de amargura en tu corazón. Al no decirle cómo te han hecho sentir sus acciones, tendrás una tendencia a desconfiar de ella cada vez que la veas hablar en voz baja con otra mujer. Probablemente guardarás inconscientemente una distancia con ella por si acaso. Como Chuck Swindoll lo expresó en un sermón reciente: «Mantendrás a Carmela en estado de prueba. Nunca será completamente perdonada, pero la pondrás a prueba durante un tiempo para averiguar su conveniencia.»

El segundo elemento destructivo es minimizar sus acciones. Sin querer puedes reforzar lo que ha hecho. Invalidas su arrepentimiento. Piensa cuán difícil tenía que haber sido para Carmela tener el coraje para confesarte sus faltas y pedirte perdón. ¿Qué piensas que le haces cuando dices: «Pues, no pasa nada. No me importaba demasiado de todas maneras»? Sin saberlo quizás estás anulando la obra del Espíritu Santo en su vida.

¿Cuál sería la respuesta correcta a la disculpa de Carmela? Quizá lo puedes enfrentar así: «Carmela, gracias por venir. Estaba dañada y enfadada cuando oí las cosas que decías de mí a otras. Has abusado de mi confianza. Me gustaría perdonarte, pero probablemente requerirá algún tiempo. Sin embargo, estoy dispuesta a trabajar hacia el perdón y la restauración.» ¿Ves la diferencia? Este intercambio era real en vez de superficial. ¡Cuánto necesitamos esto como cristianos!

Considera por qué la muerte de Cristo en la cruz tiene tanto valor. El valor de Su muerte y el perdón que nos ofrece tiene mucho que ver con el dolor que sufrió. Le costó algo. Si la cruz hubiera sido fácil, el perdón no tendría el valor que tiene. Las Escrituras enfatizan la aflicción y el dolor que Él sufrió a nuestro favor y el perdón disponible para nosotros como resultado.

Al reconocer nuestro dolor validamos el perdón.

Seamands escribe: «En muchos casos, no puede haber un crecimiento espiritual y una curación verdaderos hasta que seamos liberados de los recuerdos penosos y las pautas morbosas que ahora interfieren en nuestras actitudes y nuestro comportamiento presentes.»[3] Al negar nuestro dolor, damos oportunidad al enemigo. Quizás intentamos negar nuestros sentimientos, pero los viviremos diariamente, y tomarán otros nombres.

Para que ocurra una verdadera curación, debemos estar dispuestas a afrontar y reconocer el dolor que sufrimos en manos del ofensor. Al conocer aquel dolor y al resolverlo, el perdón se convierte en un regalo sin precio ofrecido a aquel que nos ha herido.

Ceder tus derechos

Mientras lees estas palabras, quizá sientes una lucha interna. ¿Te ha herido profundamente alguien que amas? ¿En el subconsciente te has dicho: «Nunca confiaré en él otra vez»? Si es así, tienes que afrontar el paso de ceder. Como he dicho antes, yo era resistente a este paso de manera tozuda. Había determinado que tenía justificación para mantenerme en guardia y para mantener mis derechos como persona herida. El Señor usó Mateo 18:18 para mostrarme lo que hacía. En este versículo Jesús dijo: «Todo lo que atéis en la tierra, estará atado en el cielo; y todo lo que desatéis en la tierra, estará desatado en el cielo.» En mi falta de voluntad de ceder mis derechos, sujetaba a mis padres y a mí misma. Mientras el ofensor permaneciera sujeto a mí, realmente estaba impidiendo la capacidad de Dios de obrar en su vida, o en la mía.

Has conocido a personas que rezuman amargura por cada poro, almas miserables que pasan una vida entera reavivando viejas heridas, repitiendo conversaciones pasadas y viviendo su dolor sin intención de soltarlo. Con frecuencia son personas que, si les preguntas o les confrontas con su ira, niegan su existencia. No obstante, es evidente a todos.

En *Growing strong in the seasons of life,* Chuck Swindoll lo dice de esta manera:

> «No puedes nutrir la raíz de amargura y al mismo tiempo mantenerla escondida. La raíz de amargura da fruta amarga. Quizá piensas que la puedes esconder... vivir con ella, sonreír y aguantar, pero no puedes. Lentamente, inexorablemente, ese filo cortante y afilado de falta de perdón saldrá a la superficie.»[4]

Liberar puede requerir tiempo. Puede ser una acción una vez para siempre o puede que no. Creo que José en el Antiguo Testamento representa una persona en este proceso. Muchos pastores y conferenciantes utilizan a José como la víctima ejemplar en el Antiguo Testamento. Te dicen cómo sus hermanos celosos le vendieron a la esclavitud y cómo con el tiempo fue encarcelado. Entonces te llevan a las famosas palabras de José en Génesis 50:20: «Vosotros pensasteis mal contra mí, mas Dios lo encaminó a bien.» Cuando oyes esas palabras, te preguntas si tú hubieras reaccionado en una manera tan virtuosa. Creo que esta respuesta divina no fue alcanzada sin ninguna lucha. Aunque no tenemos ningún registro del estado emocional de José durante aquellos años de encarcelamiento, más bien imagino que tuvo que haber pasado por períodos de ira, resentimiento y amargura. Creo que Dios usó aquellos catorce años en la prisión para moldear a José. Durante aquel tiempo, Dios lo moldeó y lo llevó hasta el punto de poder perdonar. No fue un proceso automático.

Muchas víctimas son prisioneras internamente. El proceso del perdón requiere que reconozcan y confiesen su dolor y que lleguen al punto de poder soltarlo. Es importante que tomen tiempo para conseguir aquella liberación como hizo José. Los efectos serán mucho más duraderos y producirán un resultado más grande para todos los interesados.

Desear la reconciliación

En su libro *Reconciliation* (Reconciliación), John Edwards escribe: «Como abogado, mi trabajo es lograr que las personas reciban un trato justo. No debo liberarlos de las consecuencias de sus acciones... y se puede decir lo mismo de los ministros de la reconciliación. Estamos para ayudar a las personas, no para quitarles la responsabilidad.»[5] Este concepto es muy importante para entender la función del perdón. La reconciliación no condona, aplaude o aprueba lo que ha hecho el ofensor. Busca la armonía y paz entre ofensores y ofendidos. Sin embargo, la reconciliación no niega lo que ha ocurrido ni el dolor que ha resultado.

Te acordarás del capítulo anterior que Elena, a través de la confrontación, descubrió que su hija también había sido forzada sexualmente por su padre. Ya que esta confrontación tuvo lugar en la presencia de un terapeuta licenciado, la ley requirió que el terapeuta informara a las autoridades del abuso de la nieta. Como puedes imaginar, ésta era una situación muy difícil para Elena. Deseó reconciliarse con su padre y perdonarlo. Sin embargo, tenía una obligación hacia su hija, Cari, y hacia otros niños, ya que su padre tenía el potencial de abusar otra vez. Elena y yo pasamos largo tiempo hablando de sus alternativas. No quería que su padre fuera a la prisión, pero sí quería que buscara ayuda. Ya que las autoridades estaban involucradas, tenía unas opciones limitadas. Su lucha se centraba sobre esta cuestión del perdón.

Me telefoneó un día y me dijo: «Mi madre acaba de llamarme y me ha acusado de ser una cristiana falsa. Dice que si fuera una cristiana verdadera, lo dejaría todo y simplemente perdonaría a mi padre. Jan, ¿tiene razón? ¿Debo simplemente perdonarlo y no insistir más en esto?» Hablé con Elcna en detalle sobre su responsabilidad. La llevé a varios pasajes de la Biblia, incluyendo 2º Samuel 12, donde David es confrontado con su pecado. En el versículo 13 reconoce su pecado y el profeta Natán dice a David que el Señor le perdona. En los versículos 10-14, Natán pronuncia el juicio de Dios sobre la casa de David, diciendo: «Así ha dicho Jehová: He aquí yo haré levantar el mal sobre ti de tu misma casa, y tomaré tus mujeres delante de tus ojos, y las daré a otro... el hijo que te ha nacido, ciertamente morirá.» Dios sabía que David se arrepentiría. Dios también sabía que perdonaría a David. Pero Dios no eliminó las consecuencias naturales del pecado de David como parte de aquel perdón.

Como víctimas, tenemos que mantener esto presente. No estamos bajo ninguna obligación de evitar las consecuencias naturales del pecado. De hecho, puede ser dañino para el ofensor si lo hacemos. Dios usa consecuencias en nuestras vidas para enseñarnos. Mientras compartía estas cosas con Elena, decidió ir a su padre. Fue a él y le dijo que su verdadero deseo era que buscara consejería para su problema, no que fuera a la cárcel. Su padre dijo que no estaba dispuesto a buscar consejería porque «no tenía ningún problema». Ella sintió que, a causa de su falta de voluntad, tenía que dejar que el sistema judicial tomara su curso. Como resultado, su padre fue arrestado, declarado culpable y puesto en libertad condicional. Como condición de su libertad condicional, tenía que buscar consejería. Ha sido una temporada muy difícil para su familia, pero Elena dice: «Ya que había entregado esto al Señor, sé que lo está usando para obrar en la vida de mi padre.» Su hija Cari ha recibido dos mensajes claros: Primero, no tenía la culpa por lo que había ocurrido. Segundo, sus padres la amaban y estaban actuando para su bien para protegerla de más abusos. Estos dos mensajes eran imprescindibles para restaurar a Cari por el trauma que había experimentado.

Las Escrituras hablan muy claro sobre este tema. Hemos sido reconciliados con Dios por Cristo. Dios nunca niega el pecado que nos ha mantenido cautivos. Reconoce el dolor sufrido por Su Hijo, y libera a aquellos de nosotros que personalmente hemos aceptado Su provisión, y nos reconcilia con Sí Mismo. Muchas veces, nosotros, como David, cosecharemos las consecuencias de lo que hemos sembrado, incluso como cristianos. Mientras buscas reconciliación con el ofensor, recuerda: «La reconciliación no significa eliminar las consecuencias del pecado de las vidas de las personas. Quiere decir ayudarles a pasar por las consecuencias para que puedan ser sanadas completamente.»[6]

Reconstruir la relación

Para muchas, el proceso de reconstruir es difícil. Demasiadas veces los viejos hábitos de relacionarse y comunicarse impiden la posibilidad de empezar de nuevo. A veces el ofensor no tiene interés en reconstruir la relación. La persona ofendida debe recordar que es responsable sólo de sí misma. Edificar una relación requiere dos participantes activos. Como persona herida, ella es responsable sólo por su parte.

Como he compartido anteriormente, el primer paso que Dios requirió de mí, después de reconocer el dolor, soltar la amargura y el resentimiento y buscar la reconciliación, fue demostrar amor a mis padres de manera tangible. Como cristianos, muchas veces pensamos que tenemos que sentir las emociones antes de actuar. Tememos la acusación de ser hipócritas, así que no respondemos por la ausencia de la emoción apropiada. En las Escrituras, tenemos el mandamiento de actuar a pesar de la emoción que podamos sentir. De hecho, los psicólogos nos dicen que la determinación a actuar y el acto mismo a menudo propician la emoción apropiada.

Hay una gran diferencia cntre hipocresía y seguir el mandamiento bíblico sin la emoción correspondiente. Todo tiene que ver con el motivo. Los fariseos, a quienes Jesús confrontó constantemente por su hipocresía, pretendieron ser algo que no eran. El seguidor de Cristo se da cuenta desde el principio de que no siente la emoción apropiada antes de optar por actuar, pero desea una armonía entre su voluntad y sus emociones. No finge a Dios ni a otros. Para muchas víctimas, el área de su voluntad ha sufrido efectos devastadores. A menudo encuentran que no son capaces de tomar nuevas decisiones porque a una edad muy temprana fueron desposeídas de su derecho de decidir por sí mismas.

Joana era un ejemplo de esto. Había sido víctima de varias personas a lo largo de su vida. A través de la terapia de grupo, empezó a reconocer su dolor y estaba intentando soltar algo de la ira que sentía hacia su madre por permitirle ser forzada. Su relación con su madre siempre había sido tormentosa. Ya que su madre frecuentemente le acusaba de ser «inestable y loca», Joana tenía dificultades en cribar lo que eran sus responsabilidades hacia sí misma y hacia su madre. Hemos encontrado al trabajar con Joana y con otras que la imagen de una misma es la clave para restaurar las relaciones. Miraremos esto con más detalle en el próximo capítulo cuando veamos cómo las personas heridas deben empezar a reconstruir su imagen de sí mismas antes de que puedan reconstruir relaciones efectivas con otros.

PENSAMIENTOS PRÁCTICOS

1. Reconoce tu dolor, poniendo una marca al lado de cualquiera de los siguientes sentimientos que experimentaste como resultado del abuso.

avergonzada	_____
insegura	_____
desilusionada	_____
temerosa	_____
impotente	_____
confundida	_____
llena de odio	_____
con resentimiento	_____
insensible	_____
atrapada	_____
asustada	_____
enfadada	_____
triste	_____
en soledad	_____
disgustada	_____
en dolor	_____
sucia	_____
otros:	_____

A. Reconoce como tuyos:

Admite aquellos sentimientos como tuyos, y evalúa cómo han afectado tu vida por el sufrimiento que causaron.

B. Cede tus derechos:

Mientras miras tu lista, sabiendo la intensidad de lo que sentiste, ¿puedes pedir ahora al Señor que te ayude a soltar cualquier ira, amargura o resentimiento que permanece en lo más profundo de tu corazón?

C. Reconciliación:

Imagina la sangre de Jesús que fue derramada

a tu favor y aplica aquella sangre al pecado del ofensor.

D. Reconstruye las relaciones:

Piensa en una demostración de buena voluntad que puedes ofrecer al ofensor con sinceridad. Elige algo que de verdad mostrará tu amor a él.

2. Lee Mateo 18:21-35. Confiesa cualquier falta de perdón persistente y pide al Espíritu Santo que te inunde con Su amor y Su aceptación del ofensor. Pide la capacidad de ver al ofensor a través de los ojos de Jesús.
3. Memoriza Colosenses 3:13.

Capítulo 10

Paso IX.
RECONSTRUIR LA AUTOIMAGEN Y LAS RELACIONES

En su libro *Su imagen... mi imagen*, Josh McDowell define una autoimagen sana como «verte a ti mismo como Dios te ve… ni más ni menos.»[1] ¿De verdad te ves como Dios te ve? Muchas influencias contribuyen a la imagen que tenemos de nosotros mismos: nuestro trasfondo, relación con nuestros padres o cónyuges, nuestra experiencia religiosa y un sinfín de otros factores.

Josh McDowell ve nuestra autoimagen como un taburete de tres patas. Afirma que «hay tres necesidades emocionales básicas comunes a todas las personas. Éstas son:

1. La necesidad de sentirse amado y aceptado; de tener un sentimiento de pertenencia.
2. La necesidad de sentirse aceptable; de tener un sentimiento de dignidad.

3. La necesidad de sentirse adecuado; de tener un sentimiento de capacidad.»[2]

Si basamos nuestra autoimagen solamente en una de estas áreas, tenemos un «taburete» que no se aguanta en pie. En mi propia vida, nunca había sentido dignidad ni pertenencia, así que lo compensaba en la área de capacidad. Me convertí en una mujer con mucho éxito que podía señalar mis logros y decir: «Ves, *sí* soy una persona con valor.» El problema en basar nuestra autoimagen en una de las tres áreas es que usamos aquella área para justificar las otras. Desafortunadamente, esto no funciona. Tendemos a enfatizar una, o incluso hasta dos áreas como una estrategia defensiva contra la otra. Mantenemos nuestra estrategia defensiva para tapar lo que sentimos, que es la verdad real de nosotros mismos. Para mí, bajo aquel barniz de competencia, había un profundo sentimiento de indignidad y el sentimiento general de que «no estoy bien». Pero esto es engañoso. En el reino del Espíritu, soy completa. Soy digna. Soy «aceptada en el Amado». Debemos obrar en la carne lo que ya ha sido conseguido en el Espíritu. Todavía estoy en el proceso, pero alabo a Dios por revelar la verdad de que soy completa en Él.

Mientras miramos este proceso de reconstruir nuestra imagen de nosotras mismas y nuestras relaciones, debemos mantener presente que no podemos dispersar en un día lo que se ha acumulado en una vida entera. Hay tres pasos en el proceso de reconstrucción. Primero, la víctima debe *rechazar* las ideas falsas que tiene sobre sí misma y sobre Dios. Segundo, debe empezar a *renovar* su mente. Tercero, debe ponerse a *restaurar* las relaciones.

Rechazar creencias erróneas

¿Cómo empiezas a rechazar nociones falsas? William Backus y Marie Chapian han escrito un estupendo libro titulado *Dígase la verdad*. Hablan sobre el sistema de creencias malas que tiñe nuestro mundo entero, y explican: «Hay tres pasos para hacerte la persona feliz que tú quieres ser:

1. Localizar tu creencias equivocadas.
2. Quitarlas.
3. Cambiar las creencias equivocadas con la verdad.»[3]

Sus primeros dos pasos tratan de rechazar las nociones falsas.

Aunque había sido cristiana durante quince años, nunca había incorporado las Escrituras que hablaban de mi valor para Dios. Sabía intelectualmente, como una verdad intelectual, que Dios me amaba, pero nunca lo había integrado en lo más profundo de mi corazón. Simplemente creía que Él no estaba tan contento conmigo como con los demás. En aquel momento, cuando estudiaba las Escrituras me centraba en los versículos negativos, aquellos que hablaban sobre el desagrado y juicio de Dios. Esto me dejaba con una sensación peor que si no hubiera abierto mi Biblia.

Algunas de vosotras habéis hecho lo mismo. Cada predicador de radio, cada sermón o pasaje que empieza «Ay de ti» se convierte en un mensaje dedicado específicamente a ti. Por otra parte, piensas que cada mensaje que habla de la aceptación, el favor y el amor de Dios está dirigido a la persona de al lado, ¡ciertamente no a ti!

No era consciente de que tenía dificultades en esta área hasta que asistí al estudio bíblico sobre el valor propio en la iglesia. Fui a aquel estudio sin saber que Dios estaba empezando a dirigirme hacia Su camino a la curación.

Mientras empecé a estudiar y a memorizar Su Palabra, llegué a una importante conclusión: «O bien Su Palabra era completamente verdad o no lo era.»

Me di cuenta de que debería mirar de manera crítica las nociones que tenía sobre mí misma, entonces compararlas con la verdad de la Palabra de Dios. Si se contradecían, debería rechazarlas como falsas. Para muchas, este proceso es largo y requiere disciplina y fe. Cuando empecé a leer el libro de Verna Birkey, *You are Very Special* (Tú eres muy especial), me quedé asombrada de los títulos de los capítulos: «Eres profundamente amada», «Eres una persona de valor», etc. En su libro, ella sistemáticamente nos llevaba por las Escrituras para apoyar estos conceptos que eran totalmente nuevos para mí. Cuando me vinieron pensamientos sobre no merecer amor a los ojos de Dios, la verdad de Su Palabra sonaba en mi corazón: «Con amor eterno te he amado» (Jeremías 31:3). Efesios 4:23 nos dice que «… os renovéis en el espíritu de vuestra mente».

He concluido que muchas de las nociones falsas que tenemos, en realidad, son mentiras sembradas por el enemigo. Recientemente pude compartir este concepto con Tina, una mujer joven del medio oeste. Me había llamado a causa de su lucha con sus emociones.

Dijo: «Jan, tengo verdaderos problemas con mi ira, y está empeorando, no mejorando. Estoy airada con mis hijos y con mi marido. Me digo que no es correcto enfadarme, pero no sirve para nada. ¿Qué puedo hacer?»

«Tina», dije, «permíteme compartir algo contigo que el Señor me ha enseñando. ¿Conoces la parábola del trigo y la cizaña en Mateo 13:24-30?»

«Sí, un poco», respondió.

«Es una ilustración preciosa de lo que nos ocurre como víctimas», seguí. «Las Escrituras dicen que un hombre sembró buena semilla en su campo, pero mientras dormía, el enemigo vino y sembró cizaña entre el trigo. Cuando brotó el trigo, también salió la cizaña.

Los siervos del dueño del campo fueron a su amo y preguntaron cómo había llegado la cizaña allí, ya que él había sembrado trigo. Respondió: "Un enemigo ha hecho esto." Preguntaron si deberían arrancar la cizaña y el amo dijo que no. Explicó que si intentaban recoger la cizaña, sin querer podrían arrancar el trigo también. Les pidió esperar hasta que ambas hubieran crecido y madurado, hasta que fuera el tiempo de la siega. En aquel momento mandaría a los segadores a recoger la cizaña primero, y atarla en manojos y quemarla. Entonces podrían recoger el trigo en su granero.

He encontrado, Tina, que nuestra infancia es muy parecida a la tierra fértil. Muchas veces hay aquellos que plantan buena semilla en nuestras vidas cuando éramos niñas. Para mí era mi abuela. No obstante, ya que la tierra es fértil, el enemigo, sin saberlo nosotros, viene y planta semillas de falsedad en nuestros corazones. ¿Tiene lógica esto para ti?»

«Sí, la tiene», respondió Tina.

«Aquellas mentiras se han arraigado muy profundamente en nuestras vidas y crecen y maduran con nosotras. El problema es que para muchas de nosotras, aquellas mentiras se han arraigado tanto que las vemos como la verdad. Es por eso que las Escrituras se refieren al enemigo, Satanás, como el padre de mentiras. ¿Puedes pensar en algunas mentiras que ha sembrado en tu corazón?»

«No estoy segura», dijo Tina de manera pensativa, «pero sé que tengo problemas confiando en Dios».

«Bien», dije, «vamos a mirarlo. Probablemente algo ocurrió en tu infancia, o bien el abuso sexual u otro evento traumático, que Satanás podía usar, y él sembró dentro de tu pequeño corazón esa mentira que dice: *Dios no merece tu confianza.* Mientras esa semilla germinaba y crecía durante tus años de crecimiento, el enemigo seguía reforzando aquella mentira. También quizás ha puesto pensamientos en tu cabeza como, *Si Dios realmente tiene interés en mí, ¿por qué ha permitido esto?* Otras mentiras también podrían incluir: *Soy una chica mala. Después del abuso, no valgo para nada. Tengo que ser perfecta para merecer el amor de Dios. No merezco amor. No hay esperanza para mí.* Todas aquellas mentiras están sembradas por el enemigo para afectar nuestro fruto para

Dios. Es necesario exponerlas, arrancarlas y cambiarlas por la verdad de la Palabra de Dios.»

«¿Quiere esto decir que mis sentimientos son una mentira y que debo negarlos o ponerme en contra de ellos?», preguntó Tina.

«Sí y no», dije. «Los sentimientos son reales y es necesario identificarlos y trabajarlos a fondo, pero será de ayuda darte cuenta de que muchas veces los sentimientos están basados en mentiras. Si, por ejemplo, el enemigo ha sembrado una mentira en mi corazón que dice: *Soy una niña mala y Dios no ama a las niñas malas*, y si creo esta mentira, incluso de manera subconsciente, puede evocar en mí todo tipo de sentimientos, desde la depresión a la culpabilidad, a la ira y a sentimientos de suicidio. La verdad es que Dios sí me ama, y que me escogió antes de la fundación del mundo. Las Escrituras dicen que soy "aceptado en el amado". Por lo tanto, lo que debo hacer primero es reconocer y exponer la mentira, y empezar el proceso de desarraigarla con la ayuda del Espíritu Santo. Entonces, debo cambiar aquella mentira por la verdad de la Palabra de Dios. ¿Entiendes a dónde estoy llegando?»

«Sí, de verdad lo entiendo. Tiene mucha lógica para mí. Ahora pues, tengo que pedir al Espíritu Santo que me ayude a exponer las mentiras y desarraigarlas para cambiarlas por la verdad», Tina dijo con confianza.

«Sí. Esto último es lo que las Escrituras llaman renovar tu mente», afirmé. «Pero recuerda: es un proceso y requiere tiempo. El enemigo no se rendirá muy fácilmente.»

Los pasos para rechazar las nociones falsas y renovar nuestras mentes van juntas. En términos psicológicos, este proceso se conoce como «restructuración cognoscitiva». El Dr. Albert Ellis, que fue el fundador de terapia racional-emotiva, inventó el término. Según su teoría, un objetivo principal en la terapia es «ayudar al cliente a liberarse de ideas ilógicas y aprender a sustituirlas con ideas lógicas».[4] Es difícil rechazar nociones falsas y esperar que desaparezcan si no las cambiamos con la verdad.

Las Escrituras hablan claro sobre este concepto de renovar. Romanos 12:2 dice que habéis de ser «transformados por medio de la renovación de vuestra mente». Empecé a memorizar pasajes que hablaron sobre mi importancia para Dios. Isaías 43 era una porción de las Escrituras que me ministró profundamente: «No temas, porque yo te he rescatado; te he llamado por tu nombre; mío eres tú.» Mientras practicaba estas verdades diariamente, vi una diferencia en mi vida.

Empecé a valorarme a mí misma como me valoraba Dios. Esto cambió muchas de mis relaciones también. Jesús dijo que tenemos que amar a nuestro prójimo como nos amamos a nosotros mismos, pero no podemos amar a nuestro prójimo si no tenemos un amor adecuado y sano para nosotros mismos. La única fundación sana para nuestra propia imagen viene de la verdad de la Palabra de Dios. No podemos inventar la imagen de nosotras mismas. Ha de ser algo que nos apropiamos de Su verdad.

Imagina un vaso floral claro grande, medio lleno de agua sucia y oscura. Tu tarea es llenar el vaso floral con agua fresca y limpia hasta que ya no parezca turbia y sucia y sólo tienes un cuentagotas para hacerlo. Después de las primeras pocas gotas, no puedes ver *ningún* cambio significativo. ¡No te rindas! Poco a poco, gota a gota, sigues añadiendo agua limpia. Con el tiempo, empiezas a ver una diferencia. El agua dentro del vaso floral es un poco menos sucia. Mientras más agua añades, más limpia se hace el agua. Aunque habrá efectos residuales, también habrán mejoras importantes. Esto es parecido al proceso que debemos usar como víctimas de incesto y otras heridas que oscurecen nuestra propia imagen. Mientras incorporamos la verdad clara de la Palabra de Dios, las nociones falsas del enemigo que han corrompido el agua de nuestro vaso empiezan a disiparse.

Distorsiones sobre Dios

Además de renovar mi mente con pasajes de la Biblia que centraron mi concepto de mí misma, me di cuenta de que también necesitaba un nuevo concepto de Dios. Había transferido muchas características de mi padre terrenal a mi Padre celestial, y hacía falta cambiarlas. Mirando hacia atrás, ¡soy totalmente consciente de la intervención de Dios en Su perfecto momento!

Había visto a Dios como un padre crítico, asumiendo que nunca estaba completamente satisfecho con mi esfuerzo y que me vigilaba para zancadillearme. Cuando fracasaba en algo, temía el castigo que sabía que vendría. Tenía dificultad en aceptar el perdón de Dios y estaba convencida de que tenía que pagar algún tipo de penitencia primero. Después de pecar, andaba durante días con una carga de culpabilidad, incapaz de aceptar la perfección de la obra de Cristo en la cruz.

Durante este período de tiempo, tres versículos bíblicos me fueron de ayuda. El primero, Nahúm 1:7 dice: «Jehová es bueno, fortaleza en el día de la angustia; y conoce a los que en él confían.» Los otros versículos son Eclesiastés 7:13 y 14: «Mira la obra de Dios; porque ¿quién podrá enderezar lo que él torció? En el día de bien goza del bien; y en el día de la adversidad reflexiona. Dios hizo tanto lo uno como lo otro, a fin de que el hombre no pueda contar con nada respecto a su porvenir.»

Por primera vez empecé a ver a mi Señor como un Dios bueno que podía usar incluso la adversidad que había experimentado como un medio de traer equilibrio a mi vida. Para mí era difícil llegar a esta posición. Había estado enfadada con Dios por no intervenir en mi vida y lo había tenido por responsable durante años. Por fin, me di cuenta de que Dios no había orquestado el abuso sexual. Al contrario, Su corazón de Padre estaba afligido sobre la manera en que el pecado de otro había contaminado tanto mi vida. Pero Él es un Dios que es capaz de redimir lo perdido.

Restaurar relaciones correctas

Hemos hablado sobre los conceptos de rechazar las nociones falsas y renovar nuestras mentes. El próximo paso para reconstruir es restaurar relaciones correctas. Debido a mis muchas nociones falsas sobre Dios, sobre mí misma y otros, no tenía la capacidad de tener relaciones íntimas y significativas, reteniéndome por temor al rechazo. Me fue necesario restaurar la comunicación y desarrollar pautas más sanas y nuevas de relacionarme. Cuando empecé este proceso de restauración, tuve que arreglar mi relación con Dios en primer lugar. Mientras me abría a Él y cedía a Su voluntad, empecé a ver cambios importantes en mis otras relaciones. Pero a veces requirió enorme disciplina y obediencia.

Acerca de mi hábito de ser demasiado crítica con mi marido, a veces tenía que morderme la lengua para evitar derramar aquellos pensamientos críticos. Esto tenía mucho que ver con mi conversación conmigo misma. Si me centraba en los defectos de mi marido durante el día, parecía que estaba preparada para saltar sobre él sobre algo en el momento que llegaba a casa por la tarde. Sin embargo, si había pasado el día dando gracias al Señor por la fidelidad, amor y lealtad de mi marido, era mucho menos propensa a ser crítica. Esto es lo que Jesús quiso decir cuando dijo: «Porque de lo que rebosa el corazón habla la boca» (Mateo 12:34).

La restauración de las relaciones es un proceso continuo para mí. El Señor sigue mostrándome otras áreas que requieren su poder curativo en mis relaciones con mis padres, mis hijas, mi marido, mi Señor, conmigo misma y con otros. La tarea de reconstruir no es fácil, pero se puede hacer. Como he mencionado en el capítulo 7, poco después de acabar la terapia, asistí a un seminario en nuestra iglesia, llevado por la Dra. Betty Coble, titulado: «Mujer, consciente y decidiendo». El seminario se diseñó para mejorar la autoestima de la mujer, para que pueda ser todo lo que Dios ha querido que sea. En la primera sesión, Betty nos desafió a escribir veinte características que nos gustaban de nosotras mismas. La primera noche apenas podía sacar tres. Durante el curso de diez semanas, Betty nos animó a «edificar sobre nuestros puntos fuertes» y no a centrarnos en nuestras debilidades. Mientras incorporaba sus ideas, mi marido vio el cambio y nuestra relación mejoraba constantemente.

Betty también habló sobre nuestro papel como hijas adultas. Esto me ayudó a ver mi relación con mis padres desde una perspectiva correcta. Soy una mujer adulta quien, como hija, sigue dando honor a su posición. Pero ya no estoy sujeta a su autoridad en mi vida. Éste es un asunto clave. Muchas víctimas se encuentran relacionándose con sus padres como hicieron de pequeñas. Esto a menudo viene de una profunda sed de amor que nunca recibieron. Es importante que las víctimas cambien esta pauta y no retrocedan a la posición de niña cuando se relacionan con sus padres. Si no se hace, la mujer nunca llegará a la madurez emocional necesaria para mantener relaciones adultas sanas. Como hemos hablado anteriormente, la mujer debe ocuparse de su niña interior, y no esperar a que otros la cuiden, cuando en realidad, otros no son capaces ni están dispuestos a hacerlo.

Curación interna

Me di cuenta de que en esta área de restauración, tenía toda una esfera espiritual que todavía no se había curado. Oré para que el Señor me mostrara lo que faltaba. Varios meses pasaron y aunque estaba creciendo y aprendiendo espiritualmente, todavía sentía que necesitaba algo más.

Sabía que Lana Bateman, una mujer en el grupo de conferenciantes de Florence Littauer, tenía un ministerio de curación interna en Dallas (EE.UU.). Pero como había experimentado curación extensa, era escéptica cuando Florence me animó a pasar por la sesión de oración de curación interna. El ministerio de Lana, conocido como «Ministerios de los Filipenses», requiere que hagas varios pasos antes de pedir una visita. Uno de estos pasos es leer el libro de Lana, *Los niños minusválidos de Dios.*[5] El segundo paso es examinar tus motivos para la curación interna y tener un verdadero deseo de quitar todo lo que se interpone entre tú y una relación más profunda con Dios. Mientras leía el libro, sentía la necesidad de esta curación en mi vida, y en pocos meses, con la guía del Señor, pedí una hora de visita con Lana. Durante nuestro tiempo juntas, recibí nuevo discernimiento y encontré libertad de las esclavitudes que me habían tenido cautiva.

Lana oró conmigo y revisamos toda mi vida. Centramos nuestras oraciones en muchos otros dolorosos eventos, además del abuso sexual. Uno de éstos era una experiencia que tuve a los cinco años cuando estaba en el parvulario. Me oriné durante el tiempo de cuentos e hice un gran charco en el suelo. La maestra preguntó quién era el responsable y toda la clase gritó mi nombre. Estaba horrorizada y avergonzada. La maestra me obligó a limpiar el suelo con toallas de papel. Cuando compartí esta memoria dolorosa con Lana, reconoció el dolor e ira profundos que tuve de pequeña. Era evidente que no había soltado la ira que sentía entonces. Lana me ayudó a imaginar al Señor Jesús conmigo en aquella situación, arrodillado ayudándome a limpiar mi suciedad. Me animó en oración a pedir perdón y a perdonar a aquella profesora que me dañó tan profundamente. Entonces fui capaz de soltar la ira y vergüenza que había escondido durante todos esos años.

La oración por curación interna enfatiza la presencia

del Señor Jesús con nosotros desde la fundación del mundo. Mientras Lana oró conmigo por toda mi vida, continuamente usó la frase: «Él estaba allí.» Aquella frase todavía trae consuelo a mi corazón. Sabiendo que soy suya desde la fundación del mundo, soy capaz de experimentar a Dios y Su amor por mí de manera más profunda e íntima.

Hace poco, mientras derramaba mi corazón a Dios, le dije que aunque había hecho bastante progreso espiritual y mucha curación interna había ocurrido, todavía no lo conocía a Él como Padre en una manera sana. Simplemente dije: «Señor, muéstrame tu corazón de Padre.» No estoy segura de cuántos días pasaron antes de que viniera la respuesta. Una noche estaba sentada en nuestra sala de lectura, cuando levanté la cabeza y observé a mis dos hijas y a su papá en el salón delante de la televisión. Heather había cogido dos almohadas de su habitación y había puesto una debajo de la cabeza de su padre y la otra al lado donde ella se había estirado. Kellie, mi hija de dos años, había cogido su manta favorita y la había puesto encima del pecho de su papá para recostar su cabeza. Don me miró con una tierna sonrisa en su cara que decía: «Éstas son *mis* niñas.» En el instante después de aquella mirada, mi Padre celestial me susurró tiernamente en mi corazón: «*Éste* es mi corazón de Padre para ti, Jan.»

Pelear la batalla

Hemos hablado durante bastante tiempo sobre la reconstrucción de la imagen de una misma y de las relaciones. Es importante darse cuenta de que este paso es una progresión continua. No creo que nunca pueda decir: «¡Por fin he llegado!» Pero tengo confianza de que Dios seguirá mostrándome áreas en las cuales hace falta crecimiento o en las cuales es necesario luchar.

Otra vez me acuerdo de Nehemías. En el capítulo 4 leemos que habían aquellos que se oponían a edificar el muro en Jerusalén. Los adversarios de Nehemías estaban tan opuestos que se armaron contra los trabajadores para intentar desanimarlos en la edificación. En el versículo 17 leemos: «Los que edificaban en el muro, los que acarreaban, y los que cargaban, con una mano trabajaban en la obra, y en la otra tenían la espada.» Debemos darnos cuenta de que Satanás se opone a la reconstrucción de nuestra autoimagen y de nuestras relaciones. Quiere mantenernos sujetos a nuestro pasado y así mantenernos ineficaces para el reino de Dios. Como Nehemías y su obreros, debemos ser diligentes en la obra de reconstrucción. También podemos esperar ataques del enemigo, así pues, debemos armarnos con nuestra espada, la Palabra de Dios. Con seguridad, podemos decir como Nehemías dijo en el versículo 20: «Nuestro Dios peleará por nosotros.»

Josh McDowell comparte una analogía que es muy apropiada en *Su imagen... mi imagen.* Escribe:

> «Somos como un elefante del circo atado por una cadena de bicicleta. Nos preguntamos cómo una sola cadena pequeña podría sujetar un potente elefante. El entrenador explica que la cadena no lo sujeta. Es la memoria del elefante lo que le mantiene sin intentar escaparse.
>
> Cuando el elefante era muy joven, no tenía la fuerza de romper la cadena y librarse. Aprendió entonces que la cadena era más fuerte que él y no lo ha olvidado. El resultado es que el elefante, ahora completamente crecido y potente, recuerda solamente que intentó romper la cadena y no fue capaz. Así que nunca lo intenta otra vez. Su memoria, no la cadena, lo sujeta. Por supuesto, de vez en cuando algún elefante descubre que puede romper la cadena, y desde aquel momento, su entrenador tiene dificultades para controlarlo.»[6]

Nuestra autoimagen es muy parecida a esto. Pero *podemos* liberarnos rechazando nociones falsas, renovando nuestras mentes y restaurando nuestras relaciones.

¡Con tu arma en la mano! ¡A la carga!

PENSAMIENTOS PRÁCTICOS

1. En *Su imagen... mi imagen*, Josh McDowell declara que nuestra autoimagen consta de tres componentes imprescindibles:
   (1) un sentimiento de pertenencia;
   (2) un sentimiento de dignidad;
   (3) un sentimiento de capacidad.
   Divide una hoja de papel en estas tres categorías. Apunta ocasiones y maneras específicas en que tenías un sentimiento de pertenencia, dignidad o capacidad. Mira si alguna de estas columnas tiende a tener más peso que las otras. Si tu lista de capacidad es más larga, puede ser que eres aquella que «actúa» para conseguir amor. Si tu lista de «pertenencia» tiene más peso que las otras, quizás eres aquella que es «activa», una que tiene que involucrarse con otros para conseguir aceptación. Si tu lista de «dignidad» tiene más peso que las otras, mira las defensas que has construido para defenderte del sentimiento de no tener valor. En teoría, estas tres áreas tienen que estar en equilibrio. (¡Recuerda que todas las cosas son posibles para Dios!)
2. Lee Isaías 43, y *Su imagen... mi imagen* por Josh McDowell. Haz planes para hacer un estudio bíblico sobre la autoestima y los atributos de Dios en los próximos seis meses. Pide al Espíritu Santo ayuda para rechazar las nociones erróneas que tienes sobre ti misma y sobre Él, y a cambiarlas con la verdad de Su Palabra.
3. Memoriza 2ª Corintios 10:5.

Capítulo 11

Paso X. EXPRESAR INTERÉS Y SIMPATÍA EN OTROS

Después de aparecer en un programa de entrevistas cristiano, recibí más de cien cartas de todo el país. Muchas de estas cartas expresaron un deseo de ayudar a otras, como se demuestra por la siguiente:

> «Querida Jan:
> Muchas gracias por alcanzar a otras. Espero que algún día, cuando esté curada, podré ayudar a otras que han sido dañadas y forzadas a recuperarse de sus traumas también. Veo más y más cómo muchas personas están afligidas y necesitan confiar en un corazón compasivo. Gracias por el amor e interés que tienes en mí y en muchas otras mujeres como yo. Con mucho aprecio y agradecimiento.
>
> Con gratitud, LIDIA»

Ayudar a otras

Muchas mujeres tienen interés en ayudar a otras. Para la mayoría, hay una fuerte necesidad de sacar provecho de las tragedias de sus propias vidas. En muchas maneras, ayudar a otros provee una oportunidad de utilizar lo destructivo en una manera constructiva. Puedes hacerlo diariamente. Por ejemplo, un compañero llega al trabajo tarde, protestando y quejándose de los problemas con su coche, y compartes experiencias parecidas en un intento de decir: «Oye, a mí también me ha pasado. Créeme, todo se arreglará.»

Este principio se presenta principalmente en 2ª Corintios 1:3, 4:

> «Bendito sea el Dios y Padre de nuestro Señor Jesucristo, Padre de misericordias y Dios de toda consolación, el cual nos consuela en todas nuestras tribulaciones, para que nosotros podamos consolar a los que están en cualquier tribulación, por medio de la consolación con que nosotros mismos somos consolados por Dios.»

Dios nunca quiso que fuéramos esponjas. No debemos empaparnos de Sus consolaciones y misericordias para construir un embalse, sino para que al final podamos compartirlas en la vida de otra persona. Algunas de vosotras podéis preguntaros: «Al intervenir, ¿no robas a la otra persona la oportunidad de recibir el consuelo de Dios?» ¡En absoluto! Somos Sus canales de consuelo, de la misma manera que somos la sal y la luz en este mundo. La idea en el griego es que tenemos que invocar o proveer consuelo y exhortación en las vidas de otros. ¡Cuán bondadoso es Dios por permitirnos obrar en nosotros un consuelo que se puede utilizar otra vez!

Para mí, no hay nada como hablar con una persona que ha estado en esa situación y la ha superado con éxito.

Pienso en la ocasión en que mi hija Heather cumplió dos años y se «graduó» de la cuna a la cama. *¡Aquella semana fue una semana de verdad!* En cinco días, hizo más travesuras de las que jamás pude imaginar de nuestra casi angélica hija. Durante la hora de su siesta, vació todos los cajones de ropa y «decoró» su habitación. El segundo día, encontró el talco y lo esparció por su ropa, su cama y su cuarto. Tras disciplinarla, descarté aquellos dos días como sus experimentos con la libertad. El tercer día, yo ya había llegado al límite. No solamente había sacado su ropa de los cajones, sino también había conseguido echar mano al aceite de bebé y distribuirlo por su cama y por su cuarto minutos después de que la puse en la cama para su siesta. Por fin, hice lo que la mayoría de las madres frustradas de niños preescolares hacen. Llamé a una amiga. Mi amiga Mae, cuya hija tenía un año más que Heather, me aseguró que «esto también pasará». Cuando compartió algunas de las catástrofes parecidas que había afrontado el año anterior, me di cuenta de que yo también podía pasar por los años horribles de los niños pequeños con sus propias voluntades. La necesitaba a ella. Todos nos necesitamos los unos a los otros. No estoy tan segura de que «la persona triste quiere compañía», pero sí sé que a la persona triste le encanta conocer a una persona que ha pasado por lo mismo y lo ha superado con éxito.

Expresar interés y simpatizar en otras provee esperanza. Simpatizar con otras también trae curación continua a la persona que consuela. Mientras comparto mi experiencia personal con mujeres, estoy asombrada de la gracia de Dios. Dios es el único que puede hacer que *todas* las cosas cooperen para bien en las vidas de aquellos que «son llamados conforme a su propósito» (Romanos 8:28). Cada vez que tengo el privilegio de compartir mi testimonio, es como si mi Padre celestial pusiera una pomada sobre mi cicatriz. Muchas veces me han confrontado cristianos con buena intención, diciendo: «Si de verdad estás curada, esta cicatriz hubiera desaparecido.» Respondo diciendo dos cosas: Primero, explico que quizás nunca alcanzaré la recuperación completa en esta vida, aunque Dios ha hecho milagros tremendos en mi vida. Dios sigue mostrándome áreas que necesitan Su poder curativo como resultado de mis experiencias infantiles. Segundo, digo a la persona que recuerdo la aparición de Cristo a los discípulos después de la resurrección. ¿Has pensado alguna vez por qué las cicatrices en las manos, pies y costado de Jesús todavía estaban en Su cuerpo glorificado? ¿Nos atreveríamos a acusarle de que Su cuerpo no es completo y perfecto porque quedan las cicatrices? Creo que no. Creo que Sus cicatrices quedan, no tanto como un recuerdo para Sí Mismo (¿cómo podría olvidar lo que había padecido en nuestro lugar?), sino por el beneficio de aquéllos alrededor suyo. Las cicatrices están allí para cada Tomás y para cada falta de fe, para aquellos que dudan de la capacidad de Cristo de identificarse con su dolor y para aquellos que solamente predican prosperidad y salud. Es para ellos, y para nosotros, que Sus cicatrices permanecen.

Este mismo principio vale para nosotras. Nos permite llevar las cicatrices de nuestras vidas. Lo que hacemos con esas cicatrices es lo que importa. Podemos llamarnos la atención a nosotras mismas, abriendo continuamente la cicatriz y lamentando las tragedias de nuestras vidas, o podemos señalar la cicatriz como un medio de identidad, dar gracias a Dios por la curación que ha ocurrido, y animar a otras a confiar en Dios para la curación en sus propias circunstancias. Pablo habla sobre esto en 2ª Corintios 1:3, 4, es decir, consolar a otros con el consuelo que hemos recibido de Dios.

Ezequiel 36:34-36 habla sobre esta restauración y curación. El versículo 35 dice: «Esta tierra que estaba asolada ha venido a ser como el jardín del Edén.» ¿Quién sino Dios podría tomar la devastación de una vida y producir fruto? Estoy completamente asombrada de Su obra en mi corazón y en mi vida. Ha tomado el vacío de un evento trágico y ha traído fruto que se ha manifestado en las vidas de otras. He compartido mi historia con cientos de mujeres, y algunas me han preguntado: «¿Ha valido la pena? ¿Cambiarías tu pasado si pudieras?» Es difícil contestar esa pregunta. No estoy segura de lo que haría, pero esto sé: Dios de verdad me ha restaurado «los años que comió la langosta» (Joel 2:25) y me ha recordado que «a todo aquel a quien se haya dado mucho, mucho se le exigirá» (Lucas 12:48). Una vez me dijo una amiga: «Jan, has recibido mucho dolor y curación. Tienes mucho que compartir con aquellas que necesitan oír.»

Apoyar el ministerio de grupo

¿Cuál es la mejor manera de empezar a ministrar a otras? Muchas mujeres que han compartido esto tienen un deseo de organizar grupos de apoyo en su iglesia o de hablar sobre este tema. Las animo a estar disponibles a otras individualmente antes de empezar un ministerio de grupo. Mi propio ministerio empezó cuando Dios me trajo mujeres para un estudio bíblico y aprendí a ser fiel en las áreas pequeñas. Ahora, cuando miro hacia atrás, me doy cuenta de lo prematuro que fue empezar mi primer grupo de apoyo en mi iglesia. Todavía tenía mucho crecimiento y curación por delante, pero Dios fue bondadoso y me permitió ser parte de una experiencia de curación única. El ambiente de grupo de apoyo es una de las herramientas más gratificadoras e instrumentales en el proceso de curación para víctimas. Junto con otras personas he dirigido numerosos grupos y he tenido el privilegio de ver a Dios obrar milagros en las vidas de muchas mujeres y usar el grupo de apoyo para adelantar mi propia curación. Muchas veces las mujeres en mi grupo me preguntan: «¿Por cuántos grupos *tengo* que pasar?» Les animo diciéndoles que he pasado por varios y todavía recibo discernimiento adicional.

Antes de que cualquier individuo, laico o profesional, sea líder de un grupo de apoyo, ha de examinar tres áreas cuidadosamente: el liderazgo, las metas y los principios generales.

El liderazgo

El liderazgo es el factor clave en el éxito de nuestros grupos. La combinación de un profesional y un laico, preferentemente una «víctima recuperada», que actúan como líderes es una pareja dinámica. El profesional provee estabilidad, seguridad y objetividad. La víctima recuperada provee esperanza y comprensión a las mujeres de una manera positiva y subjetiva.

Otras combinaciones funcionarán con éxito, pero he encontrado que el conjunto del profesional y laico provee un ambiente positivo y equilibrado que promueve la curación. Cada una tiene sus ventajas. Si el profesional es un hombre, debe tener un gran caudal de conocimiento en la área del incesto y una capacidad de simpatizar con las mujeres en un nivel profundo. Ya que muchas víctimas provienen de familias disfuncionales, la combinación de hombres y mujeres en el liderazgo provee una oportunidad única de resolver asuntos irresueltos que provienen de su familia de origen. Si el profesional es una mujer que trabaja con otra en el liderazgo, creo que es importante que una sea una figura materna. Muchas víctimas tienen dificultad en relacionarse con sus madres y ayuda si el grupo puede tocar este asunto. El factor del liderazgo parece ser la piedra angular de un grupo exitoso. No siempre es necesario tener un profesional directamente involucrado, pero uno debe estar disponible en capacidad de consejero.

Uno de estos grupos empezó como resultado de un

taller pequeño que conduje en un pueblo pintoresco en California central. Marlene, una de las mujeres que asistieron, nunca había sido forzada sexualmente, pero tenía un amor e interés genuino por su amiga Celia, que había sido forzada de pequeña. Aconsejé a Celia y a Marlene después del taller y animé a Marlene a ser de apoyo para aquellas que Dios trajera a ella. Sin darse cuenta, Dios le abrió las puertas para empezar un pequeño grupo de apoyo en su iglesia. Marlene se puso en contacto conmigo, y por teléfono hablamos sobre el marco y las metas. Tiene la ayuda de un profesional local que actúa como consejero, pero Marlene misma es la líder del grupo. Me llama a veces con preguntas y motivos de alabanza. Marlene frecuentemente se siente inadecuada para consolar y guiar a las seis mujeres que el Señor le ha traído. Sin embargo, Dios sigue dándole sabiduría porque es un vaso en sus manos.

Las metas

Una vez que se haya definido el liderazgo, es imprescindible definir las metas del grupo. Las metas pueden diferir de grupo a grupo y dependen hasta cierto punto de los líderes y sus posiciones respectivas, pero es imprescindible tener las siguientes metas:

1. Proveer un ambiente donde las mujeres se sientan seguras para expresarse y donde se demuestren la aceptación y el amor incondicional.
2. Proveer información correcta sobre el tema del abuso sexual y sus efectos secundarios.
3. Proveer un lugar donde se infunda esperanza.
4. Proveer un ambiente para probar nuevos comportamientos y para desafiar creencias erróneas.
5. Proveer un ambiente cálido y cariñoso donde los miembros puedan experimentar la verdadera naturaleza de Dios y Su amor por ellos.

Puede ser necesario hablar sobre otras metas específicas e integrarlas, según los posibles miembros del grupo. Las metas específicas a menudo están *orientadas al presente* y tratan con el aquí y ahora. Sin embargo, es necesario mirarlas desde su relevancia al pasado de la víctima. Por ejemplo, si Juana entra en el grupo con la meta específica de desarrollar un nivel más profundo de intimidad con su marido, primero tocamos la dificultad que tiene con la intimidad y de dónde proviene. Después de fijar el fundamento del origen del problema, hablamos de cómo la dificultad se mantiene por los pensamientos y acciones de Juana. Entonces comenzamos a confrontar algunos de los conceptos no realistas de Juana sobre la intimidad y la animamos a empezar a comportarse de otra manera. Por supuesto, todo esto requiere tiempo y es un proceso individual. Principalmente quisiera enfatizar que hay que mirar las metas específicas relacionadas con los problemas actuales desde una perspectiva histórica para conseguir cambios permanentes. Algunos profesionales pueden estar en desacuerdo conmigo en este punto. Sin embargo, creo que la combinación de discernimiento y acción es imprescindible para la recuperación de la víctima.

Principios generales

Finalmente, después de que el liderazgo se haya definido y las metas estén fijadas, es apropiado hablar sobre algunos principios generales. Los principios generales deben incluir asuntos prácticos como (1) horario, (2) número de miembros, (3) criterio para entrar en el grupo, (4) confidencialidad, (5) el bosquejo de las reuniones, (6) el coste, (7) el lugar, y (8) cómo se va a formar el grupo. Éstos dependen sobre quién va a llevar el grupo de apoyo y el lugar, es decir, si va a estar dentro de una iglesia, por ejemplo.

Hemos encontrado positivo tener un grupo que dure diez semanas, de no más de diez mujeres, con reuniones semanales de noventa minutos. Parece que las mujeres pueden comprometerse por un período de diez semanas sin sentirse demasiado atadas. Al mismo tiempo, no les garantizamos que todo será «jauja» al final de las diez semanas. Al contrario, las ayudamos a darse cuenta de que a veces se requieren dos o tres sesiones de diez semanas para ver verdadero progreso.

El criterio de selección es muy importante para el éxito total del grupo. Prestamos atención especial a los participantes potenciales. Pasamos tiempo en consideración con oración y buscamos experiencia profesional para determinar los miembros del grupo.

Para que el grupo funcione bien, es necesario que todos los miembros estén en diferentes niveles en el proceso de recuperación. Algunas pueden haber resuelto muchos asuntos en terapia individual, mientras otras están en las etapas primarias para comprender el abuso sexual y su impacto. Paso bastante tiempo preguntando a cada miembro potencial sobre su historia, su experiencia anterior de terapia, si ha tenido o tiene tendencias de suicidio y qué tipo de sistema de apoyo existe alrededor suyo.

Como con todos los grupos de esta naturaleza, la confidencialidad es imprescindible y debe ser garantizada y estrictamente observada por todas. Si el grupo de apoyo se compone de miembros de la iglesia, se debe dar consideración especial a la formación del grupo, si se anuncia en el boletín de la iglesia y si se asegura a los miembros del grupo la protección de sus identidades. Además, cada miembro del grupo ha de estar de acuerdo con la confidencialidad sobre todos los detalles de cada sesión del grupo. Es necesario mantener esto en relación a otros miembros *y también* a sus maridos, proveyendo así protección para cada miembro en particular.

En cuanto al marco para las reuniones del grupo,

usamos los diez pasos presentados en este libro. Esto no quiere decir que tocamos cada paso consecutivamente cada semana. Más bien lo contrario. Permitimos a las mujeres participar en el grupo según sus necesidades particulares y cuidadosamente las guiamos y las dirigimos hacia cada tema central (los diez pasos) según haga falta para su curación. Diferentes grupos tocan algunos de los temas básicos repetidamente. Dios sigue confirmándome que Él ha sido autor de los diez pasos.

Honrarlo a Él

Aunque hay valor en compartir nuestras experiencias para proveer consuelo y curación para otras, creo que la meta más alta de expresar interés y simpatizar en otras es la de traer gloria a Dios. En Ezequiel 36:36 leemos: «Y las naciones que queden en vuestros alrededores sabrán que yo Jehová reedifiqué lo que estaba derribado, y planté lo que estaba desolado; yo Jehová he hablado, y lo haré.» Cuando compartimos con otras la curación que hemos experimentado a través de la intervención de Dios en nuestras vidas, le damos la gloria a Él.

Recuerdo a José en el Antiguo Testamento. Aunque José fue víctima de abusos (y estoy segura de que hubieron momentos en que clamó a Dios que interviniera), todavía permitió a Dios ser soberano en su vida y más tarde cosechó los beneficios de una vida rendida a Dios. No creo que las desgracias de José fueron dirigidas por Dios, pero sí creo que Dios tomó el quebranto en la vida de José y las circunstancias y las transformó para bien en las vidas de muchos alrededor suyo, incluyendo su familia inmediata.

Hubieron muchas veces en el proceso de mi recuperación que expuse mis quejas ante Dios. Una de esas veces tenía que ver con mis dos hijas pequeñas. Una noche de agosto, Kellie, que tenía 18 meses, se puso muy enferma.

Tenía 40° de fiebre y vomitaba tan frecuente y severamente que a veces no podía ni respirar. En mi pánico y miedo clamé: «Señor, yo intervendría instantáneamente por mi hija si tuviera el poder. Así que, ¿por qué no intervienes en las vidas de Tus hijos? Si Tu amor supuestamente es más grande que el mío, ¿cómo puedes estarte quieto y no hacer nada?» La pregunta se quedó sin respuesta mientras íbamos corriendo con Kellie a urgencias aquella noche.

Al día siguiente mientras Heather, de cuatro años, jugaba en el jardín, se cayó y se cortó la barbilla. Entró corriendo en la casa, sangrando y asustada. Mientras procuraba consolarla, sentí pánico otra vez. «Señor», clamé desde mi niña interior, «¿por qué no intervienes? ¿No te importa lo que pasa a tus hijos?» No hubo respuesta.

Pasaron dos semanas y media. Estaba sentada en el salón mirando a mis hijas jugando y sonriendo juntas en el suelo. Mientras las veía disfrutar la una con la otra y su salud renovada, vino Su respuesta.

«Jan», el Señor me habló tiernamente. «Veo el final desde el principio.»

Él veía lo que yo no podía ver. Sabía que mis hijas estarían sanas otra vez. Sabía que en mi vida ocurriría la restauración. Sabía que la esperanza para la recuperación sería inculcada en las vidas de muchas víctimas con las cuales he podido compartir. Ve el final desde el principio. Ve en tu vida lo que tú no puedes ver.

Sé que puedes confiar en Él. Su promesa en Isaías 49:15, 16 es verdad para ti hoy:

> «¿Se olvidará la mujer de su niño de pecho, para dejar de compadecerse del hijo de su vientre? Pues aunque éstas lleguen a olvidar, yo nunca me olvidaré de ti. He aquí que en las palmas de las manos te tengo tatuada *[pon tu nombre];* delante de mí están siempre tus muros.»

No hay ninguna situación en nuestras vidas que Dios no pueda redimir si estamos dispuestos a ponerlo todo en

Sus manos. Si permitimos que Dios sane nuestras vidas y nos sometamos a ministrar a otras según Su tiempo, recibiremos abundantes bendiciones y Dios recibirá honor. Dios hace lo imposible. Es el único que puede tomar el vaso echado a perder y volver a trabajarlo suavemente en su rueda de alfarero para convertirlo en un vaso para honra.

Dios está dispuesto a usarnos si somos obedientes y estamos disponibles. Un año, justo antes de Navidad, recibí una carta que confirmó el deseo de Dios de consolar a otras a través del consuelo que hemos recibido:

> «Querida Jan:
> Desde que he recibido tu cinta hace unos meses, tengo que decir: ¡Qué cambio! He resuelto cosas que en toda mi vida no había entendido de mí misma. Hace un par de meses, alquilé una habitación en mi casa... una mujer joven se instaló y no llevaba ni una semana antes de que se hiciera evidente que también era víctima de incesto. Mi hermana acabó instalándose aquí también y ahora somos tres víctimas viviendo en mi casa. No tengo todas las respuestas, pero gracias a ti tengo algunas. Mi plan es algún día poder comprometerme completamente con otras víctimas, pero por ahora, voy a trabajar con nosotras tres.
>
> Dios te bendiga,
> MARÍA»

Ya hemos visto todo el proceso de los diez pasos.

En primer lugar, examinamos la necesidad de afrontar el problema, examinándonos a nosotras mismas de forma realista. Entonces, hablamos sobre la importancia de contar el incidente y experimentar los sentimientos involucrados, con un terapeuta o persona entendida de confianza, evaluando los daños y las pérdidas para que podamos reconstruir de manera inteligente. Bosquejamos el paso crucial de establecer la responsabilidad del agresor y cualquier otro contribuyente. Vimos las ventajas de localizar el origen de conductas y síntomas, y de observar a otras y educarnos a nosotras mismas. Detallamos los requisitos para confrontar al agresor, presentándole los asuntos con la meta de la reconciliación, confrontando desde una posición de fuerza y con un plan organizado antes de confrontar al agresor. Vimos el perdón como un proceso de cuatro facetas e identificamos el paso imprescindible de reconstruir nuestra imagen propia y nuestras relaciones a través de rechazar nociones falsas y renovar nuestras mentes. Finalmente, concluimos explorando las ventajas de expresar interés y simpatía en otras y considerando los ingredientes necesarios para un ministerio de grupos de apoyo.

Hay una área final que he de tocar. Es una área que no tenía intención de cubrir cuando empecé a escribir este libro. Sin embargo, revela la finalización de la obra que el Espíritu Santo quería para el proceso de mi recuperación. Es el capítulo final: «Restauración: Su obra redentora».

PENSAMIENTO PRÁCTICOS

1. Sé abierta al Espíritu Santo. Pide que te mande una persona que podrías animar sobre el proceso de recuperación. Recuerda, Dios no pide que todo te vaya bien antes de que puedas alcanzar a otra que está en dolor. Sólo te pide que la consueles con el consuelo que Él te dio a ti. En una semana, apunta el número de veces que tienes la oportunidad de animar a otra persona. ¡Alaba al Señor por Su respuesta!
2. Lee Isaías 40. Renovará tus fuerzas mientras esperas en Él.
3. Memoriza Isaías 50:4 y 2ª Corintios 1:3, 4.

Capítulo 12

RESTAURACIÓN: SU OBRA REDENTORA

«Gedeón. Gedeón. Lee sobre Gedeón.» El pensamiento cruzó mi mente, una y otra vez. El tercer día, ya no podía escapar de la frase persuasiva. Me senté en el estudio y abrí mi Biblia en Jueces, capítulo 6. Leí la historia de Gedeón, su llamamiento, sus vellones de lana, su victoria. Mientras volvía a leer los versículos 25 y 26, paré. Me sentí tocada en el interior mientras el Espíritu Santo me habló por estos dos versículos. Oré: «Señor, muéstrame el significado de estas palabras en mi vida.»

Leí y volví a leer otra vez.

> «Aconteció que la misma noche le dijo Jehová [a Gedeón]: Toma el toro de tu padre, y un segundo toro de siete años, *y derriba el altar de Baal que tu padre tiene, y corta también la imagen del Aserá que está junto a él*; y edifica altar a Jehová tu Dios en la cumbre de

> este peñasco en lugar conveniente; y tomando el segundo toro, sacrificado en holocausto *con la madera de la imagen de Aserá que habrás cortado*» (énfasis mío).

El Espíritu Santo me impresionó con una idea que era difícil para mí de oír, mientras me mostraba algo importante en la vida de Gedeón. El Señor sabía que Gedeón guiaría a Su pueblo a una gran victoria sobre los madianitas. Pero antes de comisionar a Gedeón para hacer la tarea, Dios le dirigió a atender unos «asuntos familiares». Le dijo a Gedeón que saliera y quitara el ídolo de Baal que su padre había construido. En su lugar, Gedeón tenía que edificar un altar al Señor, y sobre aquel altar al Señor tenía que sacrificar un toro, usando la madera del ídolo como el medio por el cual se consumiría el sacrificio.

Mientras me sentaba en el sofá aquella mañana, las lágrimas fluyeron por mi cara. En una manera tierna, el Espíritu parecía decir: «Jan, tienes que atender unos asuntos familiares.»

Luchaba por dentro. «Señor, ¿qué tienen que ver estos dos versículos conmigo?»

Con ternura, parecía hablarme en lo profundo de mi alma: «Jan, tienes que quitar el pecado de tu padrastro y cambiarlo por un altar.»

Mientras miraba aquellos versículos vez tras vez, se me fue aclarando. Gedeón había tomado el mismo pecado de su padre, representado por la madera del ídolo, y lo había puesto sobre un altar, bajo un sacrificio, ofreciéndolo de una manera aceptable, que honraba al Señor.

El Espíritu Santo me mostró que Gedeón podía haberse centrado en el pecado de su padre. Sin duda se afligía diariamente cuando confrontaba el ídolo de Baal cerca de la casa de su padre. Para mí había sido fácil concentrarme en el pecado de mi padrastro. Diariamente me enfrentaba con algunos de los efectos de su pecado en mi vida. Pero Dios instruyó a Gedeón a tomar la madera de la imagen y a ponerla *bajo* el sacrificio. En otras palabras, tuvo que quitar su enfoque del pecado y ponerlo en el sacrificio. El Espíritu Santo me reveló que también me había concentrado en el pecado. Tenía que quitar el pecado de mi padrastro y ponerlo en el altar, *bajo* el sacrificio, ya no centrarme en el pecado, sino sólo en el sacrificio.

Pero había algo más. El Espíritu Santo parecía decir: «La ofrenda del sacrificio de Gedeón no era sólo para su padre, sino para sí mismo también.» Sacrificó el cordero por *ambos* y por los pecados de *ambos.* Con una sacudida, la verdad me chocó. Jesús era el Sacrificio y a la luz de Su muerte en la cruz, no había diferencia entre mi padrastro y yo. Ambos estábamos al pie de aquella cruz, no como víctima y abusador, sino como uno en Él, ambos con necesidad de perdón, ambos con necesidad de la sangre derramada de Jesús que nos limpia de todo pecado. Una verdad simple trajo luz a mi lucha: *Jesús lo pagó todo.* Lloré mientras la verdad penetraba profundamente en un corazón que sabía más de justicia y juicio que de misericordia y gracia. Mientras acababa aquel tiempo de oración, pedí al Señor que me mostrara claramente lo que tenía que hacer.

Más tarde aquel día llamé a Pamela, una amiga que tiene un maravilloso ministerio de intercesión. En el transcurso de nuestra conversación, dije a Pamela que no había sido capaz de trabajar en mi manuscrito durante días porque faltaba algo, pero que no tenía ni idea de lo que era.

Casi antes de sacar aquellas palabras, Pamela dijo: «Jan, he estado intercediendo por ti tres días. He sentido en mi espíritu que el Señor quiere tratar contigo algunos asuntos relacionados con tus padres.» Siguió: «El Señor ha puesto algunas cosas en mi corazón por ti, pero te van a ser difíciles de oír.»

Ya que conocía la sensibilidad de Pamela, le dije: «Por favor, compártemelas.»

Pamela habló con ternura. «Jan, he sentido que todavía hay un espíritu de juicio en tu corazón contra tus padres. Es aquel mismo espíritu que impide a Dios a obrar en las vidas de tus padres. Tu orgullo se está interfiriendo. No eres capaz de acabar el manuscrito porque el capítulo final todavía no ha ocurrido.»

Inmediatamente, sentí una confirmación interior. ¡Lo que Pamela decía era verdad! Aunque había experimentado la restauración en mi vida, no había ocurrido completamente en las vidas de mis padres. Algo estaba sujetándolos. Había confrontado a mis padres y había pasado por los pasos del perdón, pero el Espíritu Santo me estaba mostrando que tenía que ir a un nivel más profundo.

«Pamela, si esto es verdad, ¿qué debo hacer?»

Con tranquilidad y confianza, me dijo: «Tienes que ir a tus padres y pedirles perdón por el espíritu de juicio que has tenido contra ellos.»

«Pero, ¿cómo puedo hacer esto?», discutí. «¿No sería invalidar todo lo que ha ocurrido hasta ahora?»

De una manera positiva, Pamela dijo: «No es ninguna invalidación de los pasos que has tomado. Es una *finalización.*»

De repente, todo se me aclaró. La historia de Gedeón tomó un significado más personal. El Señor quería que hiciera un puente en la brecha, que me enfrentara con el hecho de que mi padrastro y mi madre no eran los culpables de una serie devastadora de eventos en mi vida, sino que ellos mismos eran víctimas y herramientas usadas por el enemigo. Las Escrituras dicen que la meta del enemigo es «hurtar, matar y destruir» (Juan 10:10). Me di cuenta de que Satanás había iniciado los eventos de mi infancia y su meta no sólo era destruirme a mí, sino también a mis padres. Sí, mis padres tenían la responsabilidad y habían hecho elecciones que eran destructivas, pero yo también.

Por primera vez vi la totalidad de lo que Cristo había

conseguido en la cruz. Vislumbré una verdad profunda de una perspectiva eterna. Había una parte de mí que mi padrastro no podía tocar. Las Escrituras lo llaman nuestro «hombre interior», nuestro «hombre espiritual». Es la parte de nosotros que está «en las palmas de las manos... tatuada» desde la fundación del mundo. En el reino espiritual, ningún evento terrenal tiene el poder de tocar lo que el Padre tiene en Su mano. Es aquel hombre interior, el espíritu interior, que ha sacado vida de la muerte en mi vida. Es el poder de la cruz. Es la obra redentora de Su sangre derramada que nos permite tener comunión en Su sufrimiento y experimentar el poder de la resurrección, incluso en esta vida terrenal.

Mientras acababa mi conversación con Pamela aquel día, le pedí que siguiera orando por mí. No quería actuar sin que Dios acabara la obra en lo profundo de mi corazón. No quería ir a mis padres sin una sinceridad y convicción genuina. Vacilé durante días. Luchaba mientras pensaba en aquellas cientos de víctimas que podían leer este capítulo y simplemente intentar aplicar este paso, saltándose todos los anteriores. Oré y pedí al Señor que me mostrara Su voluntad en este asunto mientras me comprometía a andar en obediencia, sin importar el coste. Pedí que me confirmara Su camino por Su palabra.

Más tarde aquella semana me guió a tres pasajes bíblicos bien conocidos para mí. El primero era 1ª Juan 1:7: «Pero si andamos en luz, como él está en la luz, tenemos comunión unos con otros, y la sangre de Jesucristo su Hijo nos limpia de todo pecado.»

El segundo era un versículo que indicaba la perfección de Su obra en la cruz. Colosenses 1:14: «En quien tenemos redención [liberación] por medio de su sangre, el perdón de pecados.» El tercer pasaje era más específico, y me tocó el corazón. Era 2ª Corintios 2:5-11, especialmente los versículos 7 y 8 que dicen: «Así que, al contrario, vosotros más bien debéis *perdonarle* y *consolarle*, para que no sea consumido [completamente desanimado] de demasiada tristeza. Por lo cual os ruego que *reafirméis* [dar evidencia de] vuestro amor hacia él» (énfasis mío). No podía refutar la fundación que el Espíritu Santo estaba poniendo. Estaba preparando mi corazón para que pudiera andar en obediencia.

Después de ponderar mi curso de acción durante algunos días, el Señor hizo algo poco usual. Una noche no podía dormirme. Parecía que el Espíritu Santo me decía: «Levántate, Jan, tengo algo para ti.» Me encontré delante de mi escritorio con bolígrafo en mano y papel delante. Las palabras fluyeron fácilmente mientras un poema emergió delante de mis ojos. No había escrito un poema de importancia en quince años, pero mientras escribía, las lágrimas caían y el mensaje era directamente del corazón. Sabía que ésta era la expresión que Dios iba a usar en relación a mis padres.

Unos pocos días pasaron. Finalmente estaba preparada para compartir con mis padres lo que Dios había obrado tan tiernamente en mi corazón. Llamé a mis padres y decidimos una hora para la visita. Mi abuelo, que recientemente había ido a vivir con ellos, quería que yo sacara algunas fotos de él en su bicicleta de tres ruedas para mandar a los parientes. Les dije a mis padres que iba para hacer esto.

Mientras conducía hacia la casa de mis padres, me volví aprehensiva y nerviosa. Las preguntas me asaltaron. ¿Hacía lo correcto? ¿De alguna manera disminuiría este acto lo que había ocurrido tres años antes en la confrontación? ¿Liberaría el mensaje a mis padres y permitiría la restauración? Francamente no podía contestar a aquellas preguntas. No sabía las respuestas. Pero sí sabía que en medio de todas estas incertidumbres, Dios me guiaba a obedecerle, a dejar de lado mi sentido de la justicia y juicio y en cambio, a ser una extensión de Su misericordia y gracia.

Llegué a la casa de mis padres al mediodía. Cuando llegué a la puerta, el abuelo, que tiene noventa y ocho años, estaba suspirando por mi llegada. Estaba todo vestido con su nueva camisa y pantalones, con sus tirantes rojos favoritos. Una gorra cubría sus ojos del sol. Charlamos un rato, entonces fuimos detrás, donde saqué su foto. Mientras él sonreía muy orgullosamente, yo no podía evitar pensar que para cada uno de nosotros el día tendría un significado muy diferente.

Mientras íbamos andando otra vez a la casa, me giré hacia mi madre y le dije: «Me gustaría hablar contigo y con papá solos durante unos minutos.» Vi la mirada en sus ojos mientras echó un vistazo a mi padre. La mirada que conocía muy bien. Era como si dijera: «¡Vaya! Y ahora, ¿qué?»

Cuando me senté con ellos aquel caluroso día de verano, no podía aguantar las lágrimas. «Papá, mamá. Estoy aquí hoy porque hay algunas cosas que tengo que compartir con vosotros.» Les conté la historia de Gedeón y de cómo había llegado a darme cuenta de que les tenía bajo juicio. Les di a cada uno una copia del poema que había escrito, diciendo: «Esto expresa mejor lo que quería decir.» Lo leí en voz alta.

Queridos papá y mamá:
¿Cuántas palabras pasaron entre nosotros
Durante los años silenciosos?
Las palabras no fueron habladas
Ni las lágrimas contadas.

He visto la profundidad de tu dolor,
en tus ojos desesperación y aflicción.
He ido delante del Salvador
y he pedido por tu recuperación.

Mi Pastor tierno me mostró,
de manera muy delicada

Que *yo* no os había liberado
De una deuda impagada.

Dijo con voz baja y suave
Dentro de mi corazón orgulloso
«Es por esa razón clave
Que a morir he enviado a Mi Hijo.»

Entonces Jesús me llevó a Su cruz,
Y dijo: «Está todo hecho.
Lo pagué todo, hace tanto tiempo,
Para que en mí... seáis uno.»

Papá, mamá, ¿me perdonaréis
Por todo el juicio que he impuesto?
Y que andemos restaurados
En el amor que Él ha descubierto.

Porque papá, mamá, es sólo en la luz
De Su misericordia y Su piedad,
Que podemos andar como Suyos,
perdonados por la eternidad.

Mientras leía, lloramos juntos. Después de acabar de leerlo, me atraganté por las lágrimas: «¿Por favor, me perdonaréis por juzgaros tanto?»

Las lágrimas fluyendo de sus ojos me dieron la respuesta. En aquel momento, el espíritu de juicio fue roto. El enemigo, Satanás, no ya no pudo mantener cautivo lo que estaba pagado en la cruz. ¡Cuán bondadoso y paciente mi Señor es conmigo! No me mantenía responsable por algo que no había entendido. Su único requisito es que «[andemos] en la luz, como él está en la luz», para que podamos tener «comunión unos con otros, y la sangre de Jesucristo su Hijo nos [limpie] de todo pecado» (1ª Juan 1:7).

Entre sus lágrimas, mi padre dijo: «Jan, de ninguna manera he sentido ningún sentimiento malo de ti, pero sí he sentido que algo me estorbaba en mi relación con Dios. Jan, te amamos.»

Me levanté y corrí por la habitación y los abracé a los dos. Mientras caían las lágrimas, parecían llevarse la última gota de amargura y juicio que quedaba en mi corazón.

Todavía no sé el impacto completo de este paso. Pero sí conozco el sentimiento de libertad que experimenté con mis padres aquel día. Sí sé que «todo lo que desatéis en la tierra, estará desatado en el cielo» (Mateo 18:18). Compartí con mi padre aquel día que tenía visiones de nosotros ministrando juntos un día, no como víctima y agresor, sino como uno en Él. Ambos perdonados. Ambos victoriosos. Jesús lo pagó todo.

Oro que, mientras leas este capítulo, lo veas en su perspectiva correcta. El Señor me trajo a este punto cinco años después de reconocer mi necesidad de resolver los asuntos de mi pasado. Me llevó por el proceso, paso a paso. Me ha mostrado el valor de cada paso en el proceso y cómo un paso tiende a edificar sobre otro. No asumo que Él te tratará exactamente como ha hecho conmigo, sino te invito a examinar los asuntos y los pasos según sean aplicables a tu situación. *Mi reto* para ti es que estés dispuesta a arriesgar el dolor y llegar a la raíz del problema. *Mi aviso* para ti es que no apliques prematuramente los pasos más «espirituales» en un intento de recuperarte rápidamente. *Mi ánimo* para ti es que vale la pena.

Soy libre hoy, libre para tener interés por aquellos que más amo:

Mi Señor,
mi marido,
mis hijos,
mis padres,
yo misma.

Ha hecho una obra maravillosa en mi vida. Puede hacer lo mismo por ti.

> «Consolará Jehová a Sión *[pon tu nombre]*; consolará todas sus soledades, y cambiará su desierto en paraíso, y su soledad en huerto de Jehová; se hallarán en ella alegría y gozo, alabanza y voces de canto» (Isaías 51:3).

El Señor nunca perdió de vista aquella niña pequeña de diez años que fue herida hace tanto tiempo. Me amó entonces como me ama ahora.

> «Jesús lo pagó todo,
> A El le debo todo.
> El pecado había dejado una mancha carmesí,
> Lo lavó blanco como la nieve.»

No importa cuánto dolor profundo has experimentado. Él es capaz de redimirlo. Si permites a Jesús a andar contigo por este proceso, El convertirá *tu* valle de dificultades en una *Puerta de esperanza.*

NOTAS

Capítulo 1

1. Cheryl McCall, «The cruelest crime –sexual abuse of children: The victims, the offenders, how to protect your family», *Life Magazine* (diciembre, 1984), p. 35.
2. Lois Timnick, «22% in survey were child abuse victims», *Los Angeles Times* (25 agosto, 1985).

Capítulo 2

1. David Seamands, *La curación de los recuerdos*. Trad. por Eliseo Vila (Terrassa: CLIE, 1986), p. 75.
2. Seamands, *La curación de los recuerdos*, p. 32.
3. Lois Timnick, «22% in survey were child abuse victims», *Los Angeles Times* (25 agosto, 1985).
4. Seamands, *La curación de los recuerdos*, p. 89.
5. Roland Summit, «Typical characteristics of father-daughter incest: A guide for investigation» (artículo de investigación no publicado/inédito, agosto, 1979).
6. David Peters en una entrevista de radio con Rich Buhler, «Talk from the heart,» Emisor de radio KBRT, 19 noviembre, 1986.
7. Ellen Weber, «Incest», *Ms.* (abril, 1977), p. 38.

Capítulo 3

1. David Seamands, *La curación de los recuerdos*. Trad. por Eliseo Vila (Terrassa: CLIE, 1986), p. 36.

Capítulo 4

1. Dr. Cecil Osborne, *Understanding your past: The key to your future* (Burlingame, California, EE.UU.: Yokefellow Press, 1980), pp. 21, 24.
2. W. H. Missildine, *Your inner child of the past* (Nueva York: Pocket Books, Inc., 1963), p. 284.

Capítulo 5

1. James Dobson, *Love must be tough* (Waco, Texas, EE.UU.: Word, Inc., 1983), p. 121.
2. D. Kantor y W. Lehr como citado en *Family therapy: An overview*, Irene y Herbert Goldenberg (Monterey, California, EE.UU.: Brooks/Cole Publishing Co., 1985), p. 42.

Capítulo 6

1. Irene y Herbert Goldenberg, *Family therapy: An overview* (Monterey, California, EE.UU.: Books/Cole Publishing Co., 1985), p. 171.

Capítulo 7

1. M. A. Lieberman y L. Borman como citado en *The theory and practice of group psycho-therapy*, Irving D. Yalom (Nueva York: Basic Books, Inc., 1985), p. 106.
2. Charles Swindoll, *Growing strong in the seasons of life* (Portland, Oregon, EE.UU.: Multnomah Press, 1983), p. 78.

Capítulo 8

1. David Augsburger, *Caring enough to confront* (Ventura, California, EE.UU.: Regal Books, 1984), p. 50.
2. Roland Summit, «Typical Characteristics of Father-Daughter Incest: A Guide for Investigation» (artículo de investigación no publicado/inédito, agosto 1979).
3. Susan Forward y Craig Buck, *Betrayal of innocence: Incest and its devastation* (Nueva York: Penguin Books, Inc., 1978), pp.45-46.
4. Myrna Alexander, *Behold your God: A woman's workshop on the attributes of God* (Grand Rapids, Michigan, EE.UU.: Zondervan Publishing House, sin fecha.).

Capítulo 9

1. Charles Swindoll, *Improving your serve* (Waco, Texas, EE.UU.: Word, Inc., 1981), p. 61. (Trad. española: *Desafío a servir*).
2. David Seamands, *La curación de los recuerdos*. Trad. por Eliseo Vila. (Terrassa, Spain: CLIE, 1986), pp. 36, 37.

3. Seamands, *La curación de los recuerdos*, p. 22.
4. Charles Swindoll, *Growing strong in the seasons of life* (Portland, Oregon, EE.UU.: Multnomah Press, 1983), p. 166-67.
5. John Edward Jones con John P. Boneck, *Reconciliation* (Minneapolis, Minnesota, EE.UU.: Bethany House Publishers, 1984), p. 81.
6. Jones, *Reconciliation*, p. 81.

Capítulo 10

1. Josh McDowell, *His image... my image* (San Bernardino, California, EE.UU.: Here's Life Publishers, Inc., 1984), p. 31.
2. Josh McDowell, *His image... my image*, p. 88.
3. William Backus y Marie Chapian, *Telling yourself the truth* (Minneapolis, Minnesota, EE.UU.: Bethany House Publishers, 1985), p. 15.
4. Gerald Corey, *Theory and practice of counseling and psychotherapy*, Capítulo 11: «Rational-Emotive Therapy» (Monterey, California, EE.UU.: Brooks/Cole Publishing Co., 1982), p. 175.
5. Lana Bateman, *God's crippled children* (libro autopublicado/publicado por autora; disponible por Philippian Ministries, P.O. Box 31122, Dallas, Texas, 75231 EE.UU.).
6. Josh McDowell, *His image*, pp. 53, 54.
7. Josh McDowell, *His image*, p. 88.

Libros para lectura adicional

EDWARDS, Kathryn, *A House divided*, Zondervan Publishing House.
LITTAUER, Florence, *Lives on the mend*, Word Inc.
MCDOWELL, Josh, *His image... my image*, Here's Life Publishers, Inc.
PETERS, David, *A Betrayal of innocence*, Word Inc.
SEAMANDS, David, *Curación de los traumas emocionales*, CLIE.
SEAMANDS, David, *La curación de los recuerdos*, CLIE.

Ayudas para estudio bíblico

ALEXANDER, Myrna, *Behold your God*, Zondervan Publishing House.
BIRKEY, Verna, *You are very special*, Fleming Revell.